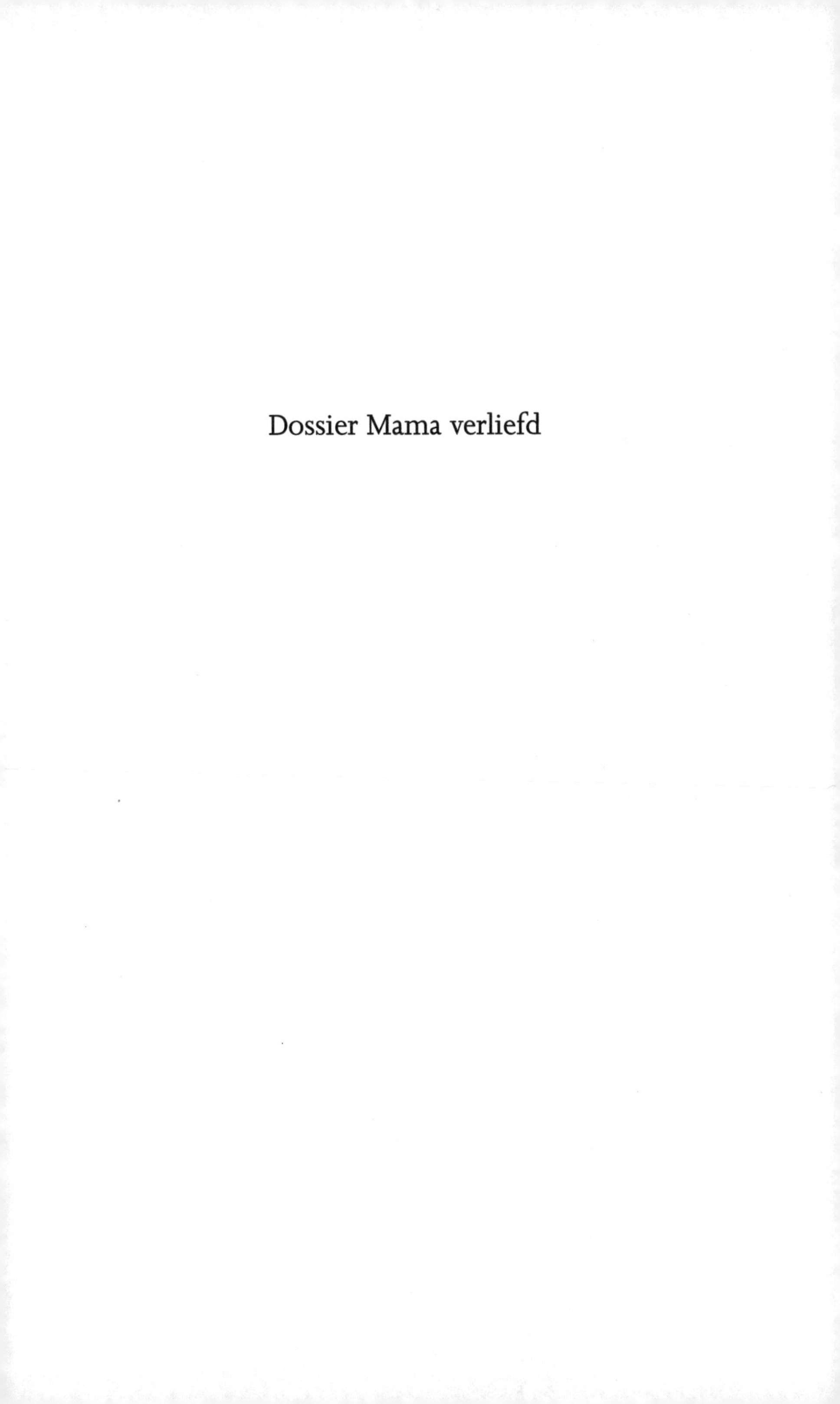

Dossier Mama verliefd

Trude de Jong

Dossier Mama verliefd

Met illustraties van Andrea Kruis

Van Goor

ISBN 978 90 475 1706 1
NUR 283

Uitgeverij Unieboek | Het Spectrum bv, postbus 97, 3990 DB Houten

www.van-goor.nl
www.unieboekspectrum.nl
www.trudedejong.com
www.andreakruis.com

tekst Trude de Jong
illustraties Andrea Kruis
vormgeving Erwin van Wanrooy

1. Micky

'Je steekt je eigenwijze neus nu eens niet in mijn zaken!'

'Nee mam.'

'Ga maar computeren op je kamer.'

'Ja mam.'

Mama keek me argwanend aan. Zo veel braafheid ziet ze niet vaak.

'Doei!' Ik liep de trap op, naar mijn kamer. Ik ging achter mijn bureau zitten en schreef op het nieuwe, grote, glanzende schrift: *Dossier Mama verliefd.*

Ik wil journalist worden, en mijn moeder is mijn eerste project. De tekst schrijf ik natuurlijk. Daarbij wil ik plaatjes, tekeningen, foto's en bonnetjes en andere info zetten. Ik begin met mezelf en mama. Dit zijn wij:

De bel ging. Mijn moeder deed de deur open. Ik hoorde haar in de gang praten met een vrouw. Ze liepen de kamer in.

Ik pakte mijn schrift en pen en sloop de trap af. Op de onderste tree ging ik zitten.

Hier kon ik het gesprek duidelijk horen. Ik heb een scherp gehoor, en dat is een handige eigenschap voor een journalist. Bovendien stond de kamerdeur een stukje open.

'Geen suiker, dank u,' zei de vrouw. 'Ik let op de lijn. Een stukje chocoladecake? Nou ja, vooruit! Een mens leeft maar één keer!'

Volwassenen! Ze nemen zich iets voor en doen dan precies het tegenovergestelde.

'Zullen we beginnen met de vragenlijst, mevrouw De Waal?'

'Zeg maar Els,'hoorde ik mijn moeder zeggen.

'Ik heet Micky. Hoe oud bent u?'

'Tweeënveertig,' antwoordde mijn moeder met een diepe zucht. 'En zeg alsjeblieft je. Anders voel ik me helemaal stokoud.'

'Wat is je burgerlijke staat?'

Ik schreef: burgerlijke staat. Die woorden kende ik nog niet.

'Ik ben twee jaar geleden gescheiden, en ik heb een dochter van elf jaar, Rosa. Die hebben we genoemd naar Rosa Overbeek uit het boek *Kees de jongen*, van Theo Thijssen.'

'Dat boek ken ik niet.'

'O nee?'vroeg mijn moeder. Het klonk als: barbaar! 'Nou, dat moet je dan beslist lezen, Micky! De zwembadpas mag je niet missen.'

Zelf doet mama de zwembadpas alleen op het strand. Ze loopt voorover, net of ze valt, en ze zwaait haar armen heen en weer. Dat gaat sneller dan gewoon lopen, zegt ze. Dat mag dan wel zo zijn, ik ben toch blij dat ze die pas alleen doet als er weinig mensen zijn.

'Natuurlijk,' zei Micky snel. 'En je ex-man woont in de buurt?'

'Die is naar Australië verhuisd. Daar haalt hij zijn vliegbrevet. Hij wil post rondbrengen met een vliegtuig.'

Papa in de bushbush! Ik miste hem af en toe erg. Maar de ruzies vroeger waren vreselijk. Ik was opgelucht toen ze gingen scheiden. Alleen waarom moest hij zo nodig naar dat verre Australië? Hij woont op een afgelegen plek waar hij geen internet kan ontvangen. Vanuit een dorp, dertig kilometer verderop, mailt hij me. Soms belt hij. Ik wil hem graag opzoeken, maar de reis is duur.

'Werk je, Els?'

'Ik werk in het Oudheidkundig Museum in de stad. Daar ben ik conservator.'

Mama raakt helemaal door het dolle heen bij het zien van elke oude kruik of pijp of schoen die wordt opgegraven. Ze kan lange verhalen vertellen over die dingen. Heel lange verhalen.

'Wat zijn je hobby's, Els?'

'Lezen, naar de film gaan of naar het theater, soms naar een concert. En ik ga één keer in de week naar fitness.'

Op die dag eten we altijd heel veel groente met vegetarisch gehakt. En een glas wortelsap.

'Heb je veel vrienden?' vroeg Micky.

'Ik heb drie goede vriendinnen, en een stuk of vijf kennissen. En aardige collega's. Allemaal getrouwd natuurlijk.'

'Ja,' zei Micky. 'En nu komen we op een belangrijk punt. Wat voor man zoek je? Probeer hem zo goed mogelijk te beschrijven.'

'Nou...' Mama haalde diep adem. 'Hij moet wel eens een boek lezen, ik bedoel, ik wil met hem kunnen praten over kunst en politiek en zo. Hij moet niet saai zijn. We moeten samen kunnen lachen. Hij moet er leuk uitzien, lang graag en met een bril. Ik hou van lange mannen met brillen. En hij moet van kinderen houden. We zullen vaak dingen met zijn drieën doen.'

'Wat vindt je dochter van een nieuwe man?'

'Rosa vindt het prima,' zei mijn moeder.

Hoe het allemaal begon: we zaten aan tafel. Vriendin Jolanda was op bezoek geweest met haar aardige vriend. We waren weer alleen. Mama staarde naar de stoel waar papa altijd zat. Ik zag haar denken: ik wil ook een vriend.

Ze zei niets, maar ik zag dat ze in de krant naar de contactadvertenties keek.

Op de computer bekeek ze de datingsites.

Een paar dagen later werd er weer een oude pot opgegraven en ze vergat de vriend. Maar ik dacht erover na. Wilde ik wel een man over de vloer? We hadden het toch goed met z'n tweeën?

De pot stond afgestoft in een glazen kast in het museum te pronken, en vriendin Jolanda was weer langs geweest met haar aardige vriend. Het was dus geen verrassing toen mama zei: 'Ik zou wel weer een man willen hebben, maar wat vind jij daarvan?'

'Voor mij hoeft het niet.'

'Ik kan toch niet mijn hele leven alleen blijven?'

'Ik ben er toch? En je bent al stokoud. Niemand wil je.'

'Nou, bedankt!'

'We hebben toch niemand nodig?'

'Ik mis een vriend. Iemand om mee te praten...'

'Dat kan je met mij toch ook!'

'En iemand die met ons naar de Efteling gaat...'

'Ik ben te groot voor pretparken.'

'Straks ga jij het huis uit, Rosa, en dan blijf ik helemaal alleen achter. Nog veel stokouder dan ik nu al ben.'

'Dan zoek je toch een oude man als ik weg ben?'

'Rosa, of je het nou leuk vindt of niet, ik ga op zoek naar een vriend. Ik neem alleen een man die jij ook ziet zitten.'

'Vinderniksaan!' Ik probeerde tranen te voorschijn te persen, maar mama zei: 'Stel je niet zo aan.'

'Ik ben het er niet mee eens!' Ik sloeg de deur van de woonkamer zo hard ik kon dicht.

Maar mama kwam me niet achterna.

Ze belde gewoon een kennismakingsbureau. Alsof ik er niet toe deed!

Dat hoorde ik toevallig, en daarom wist ik wie er langs zou komen. Dus zat ik nu op de trap.

Mijn moeder zei: 'Ik denk voorlopig aan een lat-relatie. Hij moet hier niet meteen in willen trekken.'

Micky liet de toetsen van haar laptop ijverig rammelen. Ze schreef alles op, net als ik.

'Heb je zo'n man in je bestand?' vroeg mijn moeder.

'Zeker hebben we die,' zei Micky. 'Ik ga mijn best voor je doen, Els. Hier heb ik een papier met de tarieven. Je betaalt voor elke ontmoeting. Natuurlijk vertel ik je alles over de man, en je krijgt een foto te zien. Pas dan besluit je of je hem wilt zien.'

Geritsel van papier. Mijn moeder bekeek de tarieven. Ze zweeg even. Die prijzen vielen zeker niet mee.

'Nou, dat moet dan maar,' zei ze.

'Wat enthousiaster mag ook wel,' zei Micky. 'Je zult zien hoe fun het is. Ik ga direct voor je aan de slag. Hier tekenen graag.'

'Fun,' mompelde mijn moeder. 'Ik mag het hopen.'

Ik had genoeg gehoord en sloop weer naar boven. Daar maakte ik nog een tekening van de ideale, lange man met bril en plakte hem in mijn schrift.

Nu was het wachten op man nummer één. Hij zou nog wel merken wie hier de baas was!

2. Piet (1)

Micky belde na twee dagen. Mama nam de telefoon op, en ze keek naar mij alsof ze me weg wilde hebben. Maar ze besloot dat ik erbij mocht blijven. Ik deed alsof ik las.

Mama ging op de bank zitten en luisterde naar Micky's verhaal. 'Dat klinkt goed,' zei ze. 'Maar hoe ziet hij eruit? O. Ja, die foto kun je naar me mailen, en dan bel ik je terug.'

Mama gaf haar e-mailadres op haar werk. Daar kon ik niet bij.

Ze legde de telefoon neer en zei: 'Weet je dat ik je oren kan zien groeien als je luistert?'

'Wat is het voor man?'

'Een fotograaf, van *Het Dagblad*. Maar ik moet eerst zien hoe hij eruitziet voordat ik een afspraak maak.'

'Komt hij naar ons huis? Ik wil hem ook zien.'

'Nee, ik ga eerst een kop koffie met hem drinken. En als het dan wat is, stel ik hem aan jou voor.'

'Je doet maar.'

De volgende dag toen ik uit school kwam, trof ik mijn moeder neuriënd aan. Ze stond voor de spiegel met twee fonkelende diamanten in haar oren.

'Jemig! Ben je langs de juwelier geweest?'

'Nee meid! Die zijn van de oosterse winkel om de hoek. Ik heb eens in mijn sieradenkistje gekeken, maar daar zit niet veel bijzonders in. Dingen uit het jaar nul.'

'Je draagt nooit sieraden! Die fotograaf moet wel heel knap zijn.'

'Hij ziet er goed uit, ja. Woeste krullen. Artistiek type.'

'Mag ik zijn foto zien?'

'Een andere keer. Ik moet nu bedenken wat ik aan zal doen. Ik heb helemaal niks! Zal ik die rode bloes dan maar aandoen? Die is nog het vlotst.'

'Je doet maar.'

'Anders sta je altijd klaar met commentaar,' zei mijn moeder. 'Je bent toch niet ziek?'

'Ik heb ineens vreselijke koorts en keelpijn.'

Mama voelde aan mijn voorhoofd. Ze keek in mijn opengesperde mond. 'Ik voel niks en ik zie niks. Ga voor de zekerheid maar lekker vroeg naar bed. Annemijn past op.'

'Dat is helemaal niet nodig! Ik kan wel op mezelf passen.'

Annemijn is een studente. Ze neemt altijd haar boeken mee en geeft geen kik. De meest saaie oppas die je je voor kunt stellen.

'Konden Piet en Marie niet?' Dat zijn onze buren.

'Ze moesten op hun kleindochter passen.' Mijn moeder draaide rond voor de spiegel. 'Hij klonk aardig, door de telefoon.' Ze giechelde.

Het is heel erg om je tweeënveertigjarige moeder te horen giechelen als een tiener.

'Hoe heet Hij?'

'Jeroen van Ommeren. We hebben afgesproken...'

'Waar hebben jullie afgesproken?'

'Dat vertel ik maar niet. Je bent zo nieuwsgierig. Straks kom je hem nog keuren.'

'Waarom niet? Hij kan toch mijn stiefvader worden?'

'Loop niet zo hard van stapel. Een andere keer mag je hem zien. Als er

een andere keer komt...'Ze giechelde weer. Ik kon het niet langer aanhoren.
'Ik ga even naar Piet,'zei ik.
'Als je maar op tijd thuis bent voor het eten,'zei mijn moeder.
'Ja, mevrouw Van Ommeren!'
Ik holde het huis uit.

Aan de kade zat Piet naar zijn dobber te staren. Hij zou mijn grootvader kunnen zijn.
Ik heb wel grootouders, van mijn vaders kant, maar die wonen ver weg. Ze komen bijna nooit.
De vader van mijn moeder is gestorven, en oma woont in Spanje. Die zie ik dus ook bijna nooit.
Ik ging naast Piet zitten. 'Willen ze bijten?'
'Ik heb een visje opgehaald dat zo groot was als een garnaal,' mopperde Piet. 'Ik heb 'm weer teruggesmeten. Ik wil paling! Maar de paling wil mij niet.'
Het is moeilijk om te weten wat Piet denkt. Hij kijkt altijd hetzelfde, namelijk chagrijnig, vanonder zijn pet vandaan.
Toch is hij de aardigste man die ik ken. Toen mijn ouders gingen scheiden heb ik veel met hem gepraat. Hij kan goed luisteren, en zegt verstandige dingen.
'Hoe is het met onze Rosa vandaag?'
'Mijn moeder wil een nieuwe man. Ik snap niet waarom, want we hebben het best leuk samen.'
'Ik snap het wel een beetje,' zei Piet. 'Ik zou niet weten wat ik zonder Marie moest doen.'
'Jullie zijn al vijftig jaar getrouwd! Hoe zouden jouw kinderen het vinden als je een nieuwe vrouw zocht?'
'Als Marie er niet meer was en ik in mijn eentje achterbleef? Daar zouden ze maar aan moeten wennen. Het

is maar een eenzame bedoening, alleen zijn.'

'Dat zegt mijn moeder ook, maar ik ben er toch?'

'Ja, maar een echtgenoot, dat is toch wat anders dan een kind.'

'Voor de seks. Mijn moeder wil een man voor de seks. Bah!'

'Dat ook,' zei Piet, 'maar ook, nou ja, omdat ze een vriend mist. Ze zal zich soms wel eenzaam voelen als jij naar bed bent en ze zit in haar eentje voor de tv.'

'Ze heeft honderd vriendinnen!'

'We kunnen lang of kort bekvechten,' zei Piet, 'maar volgens mij ben jij bang dat ze een akelige vent uitzoekt.'

'Ja! Een rotvent en dan krijgen ze ruzie en dan hebben we dat gedonder weer!'

'Je moeder heeft nu wel geleerd dat ze goed moet uitkijken met wie ze in zee gaat,' zei Piet. 'En volgens mij ben je ook jaloers. Je bent bang dat je niet meer zo veel aandacht krijgt. Waar of niet, prinses?'

'Nee. En noem me geen prinses. Dat wil ik niet zijn!'

'Rosa, jou vindt ze het allerbelangrijkst.'

'Dat heeft ze helemaal niet gezegd.'

'Toch is dat zo. Misschien is ze het vergeten te zeggen. Omdat het vanzelf spreekt. Vraag het haar maar.'

'Mmm.'

'Ik ken haar toch,' zei Piet. 'En ik weet dat ze heus geen man uitzoekt die jij niet aardig vindt.'

'Dat heeft ze wel gezegd, ja. Maar als ze nou verliefd wordt op een griezel? Er zijn vrouwen die met massamoordenaars trouwen.'

'Dan zijn wij er ook nog. Samen zorgen we er wel voor dat die griezel als de bliksem verdwijnt.'

Ik lachte. 'Beloof je dat?'

'Ik beloof het. Heeft je moeder al iemand op het oog?'

Ik was aan het vertellen over de fotograaf met de krullen, toen een vis in het aas hapte.

Het was een paling. Huiverend keek ik toe hoe Piet het dier in een mandje deed.

Piet was wel tevreden, al kon ik dat aan zijn gezicht niet zien. 'Ik ga 'm stoven,' zei hij.

Ik piekerde. Piet en ik zouden de griezels de straat op schoppen, en dan bleef er alleen een ideale man over. Iemand die alles voor ons kocht wat we wilde hebben. Die ons in de watten legde. Die ons behandelde als koninginnen. Maar de ideale man bestond niet, dat wist zelfs een kind. Ik zou dus alleen met mijn moeder blijven. Prima.

'Krijg ik ook een stukje paling?' vroeg ik.

'Jij altijd.'

3. Jeroen (1)

De voordeur sloeg achter Annemijn dicht. Snel deed ik het licht uit.

Ik had gelezen tot mijn moeder terugkwam. Het was halftwaalf.

Mijn moeder liep de trap op. Ze wilde naar haar kamer sluipen, maar ik brulde: 'Mama!'

Ze kwam de kamer in. 'Slaap je nog niet? Het is laat.'

'Nee. Ik was zo benieuwd naar Jeroen. Hoe was hij?'

'Aardig.'

Het was te donker in de kamer om te zien wat ze dacht. Ik richtte de leeslamp naast mijn bed op haar gezicht, als een politievrouw die een verdachte ondervraagt. Haar wangen waren rood en ze lachte breed. Ze vond hem echt aardig!

'Wat zei-die? Heeft-ie kinderen? Was-ie knap?'

'Hij ziet er leuk uit. Het was koopavond dus ik kon nog net nieuwe laarzen kopen. Hoe vind je ze?'

Mijn degelijke moeder droeg half hoge laarzen met hakken en een tijgerprint.

'Daar zullen ze enorm van opkijken in het museum.'

'Kinderen heeft hij niet...'

'Mooi. Ik zit echt niet te wachten op een stelletje verwende apen die met hun tengels aan mijn computer zitten!'

'We hebben gepraat over foto's en het museum en over jou.'

'Wat zei hij over mij?'

'Ik heb een foto laten zien en hij vond je een allerliefst kind.'

'Het is toch geen pedo?'

'Dat denk ik niet, maar als het je geruststelt zal ik zijn politiedossier opvragen.'

'Wanneer zie je hem weer?'

'Hij zal me bellen.'

'O. Nou, dan zie je hem niet meer. Dat zeggen mannen altijd als ze van je af willen.'

'Bedankt voor de nuttige informatie,' zei mijn moeder. Ze kwam naast me op bed zitten en streek het haar van mijn voorhoofd. 'Hij belt wel. En anders bel ik.'

'Je ziet hem wel zitten, hè?'

'Ja Rosa. Maar ik heb hem maar een paar uur gesproken. Eerst wil ik hem goed leren kennen.'

'Ik wil hem zien.'

'We hebben afgesproken ergens wat te eten met z'n tweeën en...'

Haar mobiele telefoon ging. Ik had haar nog nooit zo snel het ding uit haar handtas zien graaien. Een sms.

'Voorlezen mam!'

'Lieve Els. Ik vond het vanavond erg gezellig. Zullen we vrijdag uit eten gaan? Ik wil je graag nog beter leren kennen. Groetjes, Jeroen.'

'Mannen die "groetjes" zeggen zijn mietjes.'

'Ik ben het met je eens, maar dat is dan ook het enige minpuntje. Ik wil graag met Jeroen uit eten.'

'En ik dan?'

'Annemijn. Of je moet bij Sanne gaan slapen.'

Sanne is mijn beste vriendin. Dit is ze:

'Ben je verliefd?'

'Nee, maar dat kan natuurlijk nog komen. En nu slapen.'

Mama gaf me een zoen op mijn voorhoofd en stopte me in.

'Dag lieverd,' zei ze. 'Welterusten.'

'Ik krijg vast nachtmerries over die Jeroen.'

'Dromen zijn bedrog, schat.'

Ze deed de kamerdeur dicht. Ik knipte de lamp uit.

Alarm! Dit was serieus. Ik moest meer te weten komen over die man.

4. Jeroen (2)

'Ik heb Jeroen van Ommeren gegoogled, maar daar kwam niks uit,' zei ik. 'Dat is toch raar voor een bekende fotograaf, of niet?'

'Heel raar,' zei Sanne.

'Toen heb ik *Het Dagblad* gebeld, en daar hadden ze nog nooit van hem gehoord.'

'Die man heeft duidelijk iets te verbergen,' zei Sanne.

'Ja, maar wat? Ik heb wel zijn adres. Hij stond gewoon in het telefoonboek: Jeroen van Ommeren, fotograaf. Als we eens naar zijn huis gingen? Hij woont in Zuid.'

'Goed idee,' zei Sanne.

Ik ga na school vaak naar Sanne, of ik blijf op school. Mijn moeder is om vijf uur vrij.

Sanne's moeder dacht dat haar dochter bij mij en mijn moeder was. Meisjes worden voortdurend op hun nek gezeten door bemoeizuchtige ouders. We zijn heus niet gek, Sanne en ik.

Zij heeft de bruine band gehaald met judo en ik heb twee jaar karate gedaan en zelfverdediging.

En nog zijn onze moeders bang voor boze mannen. Mijn moeder moet zelf bang zijn voor boze mannen. Zíj maakt afspraken met ze.

We fietsten naar de straat waar Jeroen van Ommeren woonde. Het waren huizen die uit twee verdiepingen bestonden. Hij woonde op nummer vijftien.

We zetten onze fietsen op slot en verborgen ons achter de stam van een dikke boom.

Een oude vrouw kwam langs met een boodschappentas op wieltjes. 'Wat doen jullie hier?' vroeg ze.

'Mijn zus en ik komen hier wonen,' zei Sanne. 'We kijken vast wat rond.'

'Waar?' vroeg de vrouw.

'Daar ergens.' Ik wees naar het begin van de straat. 'Is dit een leuke buurt?'

'Er wonen niet veel kinderen,' zei de vrouw. 'Dus dat is lekker rustig.'

'Van ons zult u geen last hebben,' zei Sanne.

'Ik hoop het.' De vrouw liep door. Aan het eind van de straat ging ze naar binnen. Daar kon ze ons gelukkig niet in de gaten houden, tenzij ze een verrekijker had.

We aten een banaan en vier rozijnenkoekjes.

'Dat schaduwen is knap saai,'zei Sanne. 'Wat als hij niet thuis is? Als hij ergens in Groningen een polder fotografeert?'

'De politie is niks voor jou,'zei ik.

'Nee, want ik wil een beroemde zangeres worden, zoals Zaphora.'

Sanne's plannen voor de toekomst veranderen elke week. Ik zei dus maar niets.

'Om vijf uur moet ik thuis zijn,' zei Sanne. 'En jij ook.'
'Wat we wel hebben geconstateerd is dat hij geen kinderen heeft,' zei ik. 'Of een vrouw. Dan hadden we wel fietsjes in de tuin gezien of iemand die de ramen lapte.'
'Die vrouw kan toch ook buitenshuis werken,' zei Sanne. 'Maar zo lang wacht ik niet, hoor.'
'We mogen blij zijn dat het niet sneeuwt.'
'Dan was ik echt niet meegegaan. Waarom ga je niet naar dat restaurant? Kan je hem meteen ondervragen.'
'Als dit niet lukt doe ik dat zeker.'
Toen ging de voordeur open en Jeroen van Ommeren kwam naar buiten. Hij had een grote camera om en een fiets aan de hand.
'Actie,' siste ik. We pakten onze fietsen.
Jeroen van Ommeren sprong op zijn fiets en ging er snel vandoor. We moesten hard trappen om hem bij te houden. Hij fietste naar een chique wijk aan de rand van de stad. Daar zette hij zijn fiets neer. Hij sloop naar een villa, en verborg zich achter een grote struik in de tuin. Aha! Ook hij schaduwde iemand.
Wij verborgen ons achter een boom. Daar waren er genoeg van in deze laan.
Af en toe reed er een dure auto langs. Verder was het stil.
'Woont hier de minister-president niet?' fluisterde Sanne.
'Dan hadden bewakers ons allang opgepakt,' fluisterde ik.
Wij durfden niets te zeggen, bang dat Jeroen van Ommeren ons hoorde. We stonden aan de overkant van de laan, om goed te zien wat hij van plan was. Ik zag hem bijna niet in die struik.
'Het is bij vijven,' fluisterde Sanne. 'We moeten naar huis.'
'Ik blijf hier. Ga jij maar.'
'Ik laat je niet alleen,' zei Sanne. Ze is een toffe vriendin.

De deur van het huis aan de overkant ging open. Een man en een vrouw kwamen naar buiten. Ze namen zeker afscheid, want ze omhelsden elkaar.

Jeroen sprong uit de struik en begon foto's te maken. De vrouw stapte snel naar binnen en sloot de deur met een klap. De dikke man liep naar Jeroen toe en begon tegen hem te schreeuwen. 'Geef hier dat fototoestel!'

Wij holden naar de overkant. Ik herkende de volkszanger Dirk Witman, beroemd van liedjes zoals 'Geef mij nog maar een hassebassie, meid, want op één been kan een man niet lopen.'

'Je hebt geen recht om zoiets te doen!' brulde Witman. Zijn hoofd was rood van woede.

Jeroen ging door met foto's maken, terwijl hij naar achteren liep om de man te ontwijken. Witman greep het fototoestel en trok het naar zich toe. Jeroen hield het stevig vast. Ze rukten en trokken, maar Witman was sterker. Hij gaf weer een ruk, Jeroen liet het toestel los en dat vloog door de lucht. Ik kon het zware ding nog net opvangen.

Witman gaf Jeroen een klap in zijn gezicht. Jeroen stompte hem in zijn buik. Klappen, kreten, stompen en opdonders. De mannen rolden over de grond. De vrouw deed de deur weer open en riep: 'Hou op!' Met haar rode puntschoen trapte ze in Jeroens zij.

Intussen nam ik de ene foto na de andere met het toestel van Jeroen van Ommeren.

'De politie komt eraan!' brulde Sanne.

De mannen stopten met vechten, stonden op, en keken naar mij.

'Geef dat toestel hier!' schreeuwde Witman.

'Het is van mij!' riep Jeroen.

Ik holde weg, pakte mijn fiets en racete ervandoor. Sanne en Jeroen kwamen op hun fietsen achter me aan. Ik zag dat Witman in zijn dure auto stapte en de achtervolging inzette. Hij scheurde door de straten.

Ik reed het park in. Het pad was afgezet met ijzeren palen, zodat er geen auto door kon. Links en rechts was een diepe sloot. Terwijl ik het park in fietste hoorde ik Witman schreeuwen. Maar hij had geen schijn van kans. Ik fietste ver het park in, en remde. Sanne botste bijna tegen me op. Jeroen sprong van zijn fiets en holde naar me toe.

'Hier met mijn fototoestel!'

Ik hield het toestel achter mijn rug. Sanne ging streng naast me staan.

'Je krijgt het heus wel terug, Jeroen van Ommeren,' zei ik. 'Maar eerst wil ik weten waarom je die foto's nam.'

'Je weet wie ik ben?' Hij grijnsde zelfvoldaan. 'Heb je me wel eens op tv gezien?'

'Kom je wel eens op tv? Ken je Zaphora?' vroeg Sanne.

'Ja, die ken ik. Maar wie is je vriendin, die mijn toestel heeft gepikt?' vroeg Jeroen.

'Hij kent Zaphora!' zei Sanne.

'Ik ben Rosa, de dochter van de vrouw met wie jij vrijdag een afspraak hebt in een restaurant.'

Hij staarde me aan.

'En ik zou graag willen weten waarom jij die foto's nam.'

'Dat gaat je niks aan.'

'Zeker wel. Ik zou je toekomstige dochter kunnen zijn!'

Jeroen keek me heel dom aan. 'Ben jij de dochter van Els?'

'Je hebt mijn foto toch gezien?'

'Daar zag je er heel anders op uit. Braver. Wat doe je hier eigenlijk?'

'Kan ik ook aan jou vragen.'

'Dit is mijn werk,' zei Jeroen. 'Ik ben fotograaf voor *Roddel & Achterklap*.'

'Mijn moeder denkt dat je prachtige foto's van schapen maakt voor *Het Dagblad*.'

'Janouja,' zei Jeroen. 'Je moeder leek me niet een vrouw die het op prijs stelt dat ik bekende Nederlanders probeer te betrappen op foutjes. Klopt dat?'

'Klopt. Dus ik zal haar maar niet laten zien dat jij vecht met die dikke beroemdheid?'

'Zou je je mond willen houden?'

'Als je ons naar Zaphora brengt,' zei Sanne.

'Hou op over die Zaphora!' zei ik. 'Ik ga met die foto's naar *Het Dagblad*. Daar geven ze me vast een berg poen als ik het hele verhaal vertel.'

'Wat moet ik doen om je tegen te houden? Alles wil ik doen, maar geef me mijn camera terug,' smeekte Jeroen.

'Ik wil journalist worden,' zei ik. 'En ik wil in de krant met mijn verhaal.'

'Ik kan je helpen. Ik zal ervoor zorgen dat je een stuk in *Roddel & Achterklap* krijgt.'

'Een ordinair roddelblad? Ik wil in een echte krant!'

'Je moet ergens beginnen,' zei Jeroen. 'Bij *Het Dagblad* zitten ze echt niet op die foto's te wachten. Zijn ze veel te beschaafd voor.'

'*De Bazuin* dan. Die hebben een roddelrubriek.'

'Oké, prima, *De Bazuin*,' zei Jeroen. Hij stond er zo verslagen bij dat ik medelijden met hem kreeg.

'Geef die man dat toestel nou terug. Jij komt heus wel in de krant,'zei Sanne.

'Bemoei je er niet mee. Ik moet aan mijn carrière denken.'

'Aansteller. Ik ga naar huis.'

'Als mijn moeder belt, ben ik bij jou,' zei ik.

'Oké.' Sanne fietste weg. 'Da-hag Jeroen!'

Ik fietste naar het gebouw waar *De Bazuin* zat. Jeroen fietste achter me aan. Hij zei niets meer.

Ik had de grote camera om mijn nek. Verschillende mensen keken me jaloers na. Daar gaat een beroemde fotograaf dachten ze natuurlijk.

'Als jij in de krant komt, weet je moeder het ook,' zei Jeroen.

'Als jij het haar niet vertelt, doe ik het. Ze is heus niet zo tuttig als je denkt.'

'Ik hou wel van tuttig,' zei Jeroen. 'Jij zal wel op je vader lijken.'

'Ik lijk op allebei.'

We zetten onze fietsen voor het gebouw, en liepen naar binnen. Mijn hart bonsde. Ik was nog nooit eerder op de redactie van een krant geweest. En straks zou mijn verhaal in *De Bazuin* staan!

We kwamen in een groot, zonnig kantoor. Mannen en vrouwen zaten achter hun computers. Een vrouw zat op het bureau van een man en ze lachten samen. Ze staarden niet naar Jeroen en mij. Ze hadden alles al gezien en keken nergens meer van op.

Ik voelde dat ik hier thuishoorde. Het zou nog jaren duren (!#$%&*!school!) voordat ik op een redactie zou werken, maar ik kon bijna niet wachten.

'Waar zit de hoofdredacteur?' vroeg ik. Een journalist met rood haar wees me de weg.

Jeroen tikte op de glazen deur van een apart kantoor. *Elzeline de Bruyn, Hoofdredacteur*, stond er met sierlijke roze letters op geschreven.

'Ja!' riep Elzeline de Bruyn. Ze was een lange vrouw met een enorm grote bril op haar puntige neus.

We liepen naar binnen, en gaven mevrouw De Bruyn een hand.

'Ga zitten,' zei Elzeline. 'Wat kan ik voor jullie doen?'

Ik vertelde het hele verhaal.

Jeroen vulde het aan met nuttige opmerkingen. Zanger Dirk Witman was getrouwd, maar niet met de vrouw op de foto's.

'Nu wil ik mijn verhaal in uw blad,' zei ik. 'Rosa de Waal neemt foto's van Dirk Witman die Jeroen van Ommeren aanvalt.'

'Ik vind het verhaal van Dirk Witman met die onbekende vrouw sterker,' zei Elzeline.

'Maar dat hoort in *Roddel & Achterklap* waar meneer Van Ommeren voor werkt.'

'Onze lezers zijn niet geïnteresseerd in een kind dat foto's neemt van twee vechtende mannen.'

'O, u vindt het gewoon dat een bekende Nederlander een fotograaf in elkaar slaat? Als u er zo over denkt ga ik wel naar uw concurrent!'

'En ze is er toe in staat,' zei Jeroen. 'Dit kind staat echt voor niets.'

'Ik wil journalist worden,' zei ik.

'Meid toch!' Elzeline glimlachte. 'Over een aantal jaren ben je hier van harte welkom. Maar voorlopig schrijven we onze stukken zelf.'

Ik wist dat ik niet tegen haar op kon. Met een diepe zucht gaf ik Jeroen zijn camera terug.

'Kijk niet zo somber,' zei Elzeline. 'Schrijf maar een mooi stukje voor onze Kinderpagina.'

'Ja? Drukt u het dan af?'

'Als het goed geschreven is wel. Succes!' Elzeline deed de deur open en gaf ons een hand.

Jeroen en ik liepen naar buiten.

'Ik moet naar *Roddel & Achterklap*,' zei Jeroen. 'Kan je alleen naar huis fietsen? Weet je de weg wel?'

'Als ik het niet weet, vraag ik het wel. Ik heb toch een mond.'

'Die heb je zeker. Maar je zwijgt als het graf over mijn werk tegen je moeder. Ik vertel het haar zelf. Afgesproken?'

'We zullen wel zien, Jeroen. O ja, mijn moeder en ik houden van grote dozen dure bonbons.'

Een stuk voor de Kinderpagina. Het was in ieder geval iets. De kinderen in mijn klas zouden het lezen en meester John zou het op het prikbord prikken.

Zodra ik thuis was ging ik aan het werk!

DE KINDERPAGINA

Mama heeft een date!

Het moest eigenlijk verboden worden: daten voor ouders!
Wat doe je als je moeder een nieuwe man wil? Je wilt geen engerd met een grijze baard en vieze sokken in je huis. Dus moet je goed weten wie die nieuwe date is. Ik heb nuttige tips voor je.

1. Kijk op internet wat je over de man kunt vinden (misschien is het wel een moordenaar!)
2. Zoek uit of hij niet stiekem getrouwd is
3. Schaduw hem, zodat je alles over hem te weten komt
4. Kijk of hij ook in jou is geïnteresseerd en niet alleen in je moeder
5. Maak kennis met zijn kinderen. Die zul je ook vaak zien en je moet ze aardig vinden

5. Wubbe

'Jeroen heeft afgedaan,' zei mijn moeder. 'Ik wil geen man die tegen me liegt.'

'Iedereen liegt wel eens,' zei ik. Ik dacht: Yes! Exit Jeroen!

'Nou sta je in *De Bazuin* en iedereen heeft het erover.'

Op school was ik nu even beroemd. Daar genoot ik van, zolang het duurde. Ik oefende mijn handtekening, want een meisje uit groep vijf had me die gevraagd!

'Ben je niet trots op me?'

'Ja, want het is een leuk stuk. Je kunt goed schrijven. Maar ik vind het niet zo leuk dat je schrijft over mijn datingplannen. Daar moet ik op mijn werk heel wat over horen.'

'Dat spijt me, mam.'

'Ga je mijn volgende dates ook allemaal volgen?'

'Nee mam. Maar je wilt toch een vriend die je kan vertrouwen?'

'Daar zorgt Micky wel voor, en anders kan ik zelf een detectivebureau inschakelen. Jij bemoeit je er niet meer mee. Deal?'

'Deal.' Maar natuurlijk zou ik me ermee blijven bemoeien. Mijn moeder en haar mannen waren mijn project.

'Ik heb het bureau gebeld dat ik niet verder wil met Jeroen.'

'Maar wel met een ander?'

'Wubbe is ook heel spannend,' zei mijn moeder.

'Wie is Wubbe nou weer?!'

'Jij was zo bezig met jouw verhaal dat ik niet de kans kreeg om te zeggen dat ik een nieuwe kandidaat heb ontmoet. Wubbe heeft een restaurant in het centrum: De Kroon op het Werk. Een heel mooi restaurant is het. Ik heb er een glaasje wijn met hem gedronken.'

'Is hij alleen maar de baas of kookt hij ook zelf?'

'Hij is de baas en kookt zelf. Het is niet zo ver van mijn werk. Lijkt me heerlijk om daar te gaan eten. Koken is altijd zo'n gedoe, maar hij is er dol op.'

Aan haar dromerige ogen zag ik dat ze zich een toekomst voorstelde waarin Wubbe levenslang in onze keuken zou staan bakken en braden. Ik kreeg een beetje medelijden met hem.

'Maar je wilt hem toch niet alleen omdat hij kookt?'

'Tuurlijk niet. Het is een man met een hart van goud. Een beetje dik misschien...'

'Dik? Ik wil geen dikke man als stiefvader!'

'Bijna alle koks zijn een beetje dik. Hoe dan ook, je zult hem gauw zien. Hij komt zaterdag koken.'

'Wat eten we?'

'Dat is nog een verrassing.'

'Heeft-ie kinderen?'

'Nee.'

Mijn moeder sloeg de krant open.

Ik hoefde dit keer geen speurderswerk te doen. Het slachtoffer kwam zelf langs.

Die zaterdag ging de bel om vier uur. Mijn moeder had geprobeerd me die middag naar Sanne te sturen (ik mocht wel thuiskomen om mee te eten maar dat had ik geweigerd).

Dus zat ik in de huiskamer te luisteren hoe mijn moeder de deur open deed. Ik hoorde een zware mannenstem. Ze liepen naar de keuken.

Ik stond op. In de keuken was een lange, gezette man. Hij had blonde krulletjes, net als een engel. Hij had een heleboel tassen met boodschappen bij zich.

'Ik heb alles maar meegenomen,' zei hij met een zware stem. 'Het is zo lastig als je een ingrediënt moet missen, en ik weet natuurlijk niet wat je in huis hebt, Els.'

'In elk geval een dochter. Dit is nou Rosa.'

Mijn hand verdween in de grote klauw van de kok. 'Hallo Rosa. Ik ben Wubbe.'

'Dag Wubbe. Kan ik je helpen?'

'Ik kan wel een koksmaatje gebruiken. Maar jij, Els, mag je nergens mee bemoeien. Ga maar lekker op de bank zitten met een boek. Je hoort het wel als het eten klaar is.'

'Ik mag toch wel de tafel dekken?'

'Dat is dan ook het enige.' Wubbe gaf mijn moeder een zachte klap tegen haar achterste. Heel goed, want daar hield ze niet van. Toch glimlachte ze, want terwijl zij een boek las stond hij te zwoegen achter het fornuis.

'Succes dan maar,' zei mijn moeder. Ze deed de keukendeur achter zich dicht.

'Eerst eens even een glaasje wijn,' zei Wubbe. 'Kun je me twee glazen aangeven?'

'Ben je een alcoholist?' vroeg ik streng.

'Nee, maar ik hou wel van een glaasje op zijn tijd. Mag dat, mevrouw?'

Ik gaf hem een glas. Wubbe ontkurkte een fles rode wijn, schonk een glas vol en nam een slok. 'Heerlijk!'

Hij pakte een andere fles, en schonk een donkerrode vloeistof in het glas. 'Dit is voor jou, komt uit de Provence. Proef eens?'

Het spul rook naar vruchten, en ik proefde zwarte bessen, bramen en frambozen.

'Heerlijk!' zei ik ook.

'Wat wil je worden?'

'Je denkt dat ik kok zal zeggen, maar dat is niet zo. Journalist.'

'Je kunt ook over eten schrijven.' Wubbe pakte de tassen uit. Vlees, groente, kruiden, een fles olijfolie en een pakje boter bedekten de tafel.

'Misschien ga ik een kinderkookboek schrijven,' zei ik. Ik zag het geld al binnenstromen. 'Of een kindervermagerkookboek. Er staat toch in de krant dat kinderen te dik zijn?'

'Wil jij het ijs even in het diepvriesvak doen?' Wubbe gaf me een koud vierkant doosje aan. Dat was ook Frans.

'Wat ga je koken?' vroeg ik.

'Dat is nog een verrassing. Jij moet alleen maar doen wat ik zeg, dan komt alles voor elkaar.'

Ik houd niet van mannen die bevelen geven. Mijn moeder ook niet. Het zag er niet goed voor hem uit en dat zou nog erger worden. Als het aan mij lag.

Ik hielp hem de pannen op het fornuis te zetten.

'Ik heb van tevoren het meeste klaargemaakt. Houd je van tomatensoep?'

Wubbe pakte een fles met de rode soep en goot die leeg in een pan.

In een braadpan legde hij drie met spek ingepakte kipfilets.
'Die zijn snel klaar, dus die braden we straks. Nu moeten we aardappels schillen voor de gratin.'
'Wat is dat?'
'Plakjes aardappels. Ik laat het wel even zien.'
Wubbe pakte een mesje, schilde een aardappel en sneed hem in dunne plakjes. 'Zó moet je dat doen.'
'Ben je al lang kok?' vroeg ik.
'Na de school ging ik varen. Op het schip begon ik met koken. Dat heb ik jaren gedaan. Later ben ik aan wal een restaurantje begonnen. Nog later werd dat een groot restaurant in de binnenstad.'
'Was het varen spannend?'
'Eerst de aardappels even koken, niet te lang. Geef die plakjes maar.' Wubbe deed alles in een pan, deed er wat water bij en zette de pan op het gas. Hij ging weer aan tafel zitten en nam nog een slokje wijn.
'We zijn vaak vergaan, met schip en al. Net de Titanic, alleen kwam er niemand bij om. Er gebeurde altijd wel wat waardoor we omsloegen. Net als met mijn restaurants. We hebben al zo vaak brand gehad. Soms denk ik dat ik door het noodlot wordt achtervolgd. Net als met mijn vrouwen.'
'Je vrouwen? Je hebt toch geen harem?'
'Nee! Maar er gebeurt iets met ze. Eentje viel uit een reuzenrad, een ander kwam in een lawine terecht, weer een ander werd ontvoerd in een woestijn tijdens onze huwelijksreis. Die laatste heb ik nooit meer teruggezien.'
Dat was zielig voor Wubbe (voor die vrouwen helemaal!), maar het was nuttige informatie. Het werd tijd voor actie.
'Wubbe,' zei ik. 'Zie je mijn moeder wel zitten?'
'Nou!' Wubbe glom van enthousiasme.
'Mijn moeder is dol op mij. Vind je het leuk om mij als dochter te hebben?'

'Ik zou niets liever willen.'

'Weet je wat ík heel graag zou willen?'

'Vertel het maar aan Wubbe en het komt voor elkaar.'

Dat deed ik.

'Nu?' vroeg Wubbe.

'Nu.'

'Dan moet ik even naar de winkel voor de ingrediënten. Dat lukt wel. Gelukkig dat ik al het een en ander heb gedaan.'

Wubbe pakte zijn boodschappentas en beende het huis uit.

Ik had gehoopt dat hij het eten vreselijk zou laten aanbranden. Grote rookwolken zorgden ervoor dat de buren de brandweer belden. Die zou de keuken natspuiten en in één klap het liefdesvuur bij mijn moeder doven.

Ik moest iets anders bedenken.

Ik rende naar de zolder en zocht in de kasten tot ik vond wat ik nodig had. De spullen deed ik in een plastic tasje.

Toen ik naar beneden kwam, was Wubbe alweer terug. Hij stond tot aan zijn ellebogen in een bak met deeg te kneden.

Mijn moeder keek om de hoek van de deur. 'Lukt het allemaal een beetje?'

'Ik ben bezig met een verrassing voor je dochter. Wou ze graag.'

Mijn moeder keek argwanend. 'O?'

'Het wordt een dessert, meer zeg ik niet. Ga jij nou maar lekker lezen.'

Mama keek me streng aan, en ik glimlachte allerschattigst.

Mama keek de keuken nog eens rond, maar zag niets geks. Aarzelend trok ze de deur dicht.

'Zal ik het gas onder de pannen aandoen?' vroeg ik. Misschien lukte het aanbranden ook nog.

'Nee, ik ben nog wel even bezig, dus we eten wat later. Zeg dat maar tegen je moeder.'

'Kan ik je weer helpen?'

'Ga jij maar lekker buiten spelen,' zei Wubbe.

'Tot zo!' Tegen mama zei ik dat we wat later aten en dat ik even naar Piet ging.

Piet wierp net zijn hengel in het water. Ik huppelde naar hem toe.

'Je huppelt!' zei Piet. 'Dat doe je anders nooit. Je voert iets in je schild.'

'Yep.'

'En die grijns van je bevalt me niet. Wat ben je van plan?'

'Er is weer een man bij ons thuis. Een kok.'

'Ik zag al een man met tassen jullie huis in gaan. Gaat-ie koken?'

'Yep.'

'Wat heb je tegen die arme man?'

'Schepen en vrouwen zijn niet veilig bij hem.'

'Moet ik de politie bellen?'

'Nee, ik kan hem wel aan.'

'Ik vind het geen prettig idee dat jullie daar met een rare kok zitten. Al die scherpe messen.'

'Alles is onder controle.'

'Ik hoop het maar. En anders moet je heel hard schreeuwen. Dan komen we meteen. Zul je dat doen?'

'Ja Piet.'

Ik bleef nog een tijd met Piet kletsen, tot het tijd was om weer naar huis te gaan. Het rook heerlijk in huis. Mijn moeder zat met een tevreden glimlach te lezen, en in de keuken stond Wubbe achter het fornuis. En op tafel stond de allermooiste taart die ik ooit had gezien. Een groot kasteel van roze marsepein, met kantelen en torens. Er zaten raampjes in, en kleine plastic riddertjes keken vanaf het dak naar me.

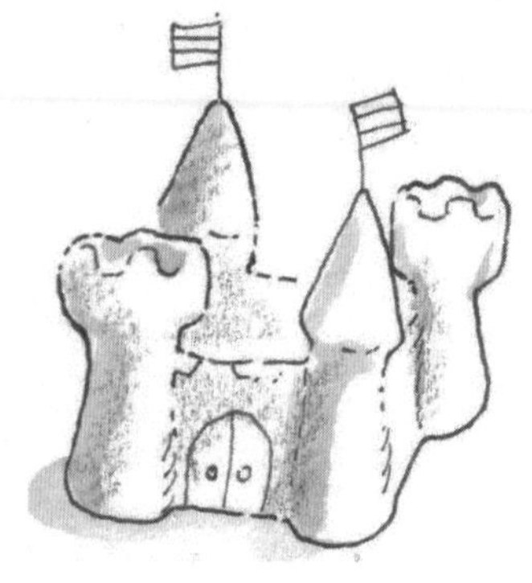

'Ooo...' zei ik.

Wubbe lachte breed. 'Vind je 'm mooi? Hier, zet de vlaggetjes maar op een toren.'

'Het is prachtig! Je bent een artiest!'

'Och, kom,' zei Wubbe verlegen.

Even aarzelde ik of ik door zou gaan met mijn plan. Wubbe was zo'n aardige man. Het kasteel was zo schitterend. Maar ik moest me houden aan mijn voornemen: geen man in huis!

'We moeten een foto nemen,' zei ik. 'Vraag jij aan mama of zij met haar camera komt? Dan zet ik de vlaggetjes erop.'

'Oké. Het eten is trouwens ook klaar. Dat zal ik haar zeggen.'

De arme man beende weg.

Snel pakte ik uit de plastic tas de spullen die ik nodig had en ik stopte ze precies waar ze moesten zijn.

'Komen jullie?'riep ik.

Ze moesten nu wel direct komen, anders mislukte mijn plan. Ik hoorde hun voetstappen en de keukendeur ging open. Lachend kwamen ze de keuken in.

'Wat prachtig!'zei mijn moeder. 'Ik zal een foto maken,

Heb je dat speciaal voor Rosa gemaakt?'

Stralend keek ze naar Wubbe. Hij straalde terug. Lang zou dit geluk niet duren.

'Dat wou ze graag. De wens van het lieve kind kon ik...'

SSSSSSSSSSSSSSSSSS! Vanaf de binnenplaats van het kasteel spoot een stroom gouden sterretjes de lucht in.

'Ooooooo,' zei mama. 'Wat leuk!'

Wubbe keek naar het vuurwerk met open mond.

PRRRRRRRRRRRRRRRRRRRRRRRRRR! Van de transen van het kasteel kwam Bengaals vuur. Rood.

'Nou ja,' zei mama. 'Het is te mooi om waar te zijn.'

Ik zei niets, net als Wubbe. We staarden naar zijn meesterwerk.

PAF! TSJAK! BANG!

Stukken marsepein, cake en wolken slagroom vlogen door de keuken toen het kasteel ontplofte.

De rest van het vuurwerk had ik op andere plaatsen verstopt. En goed ook.

Mijn moeder veegde de slagroom van haar gezicht. Haar kleren waren roze en wit. Wubbes hoofd was bedekt met een lap marsepein. Hij trok de lap weg en keek naar de zielige resten van het fiere kasteel. Sprakeloos was hij.

Ik duwde mijn hoofd tegen mijn moeders borst en snikte: 'Mijn kasteel is kapot.'

'Is dit jouw idee van een grapje, Wubbe?' vroeg mijn moeder streng.

'Ik weet van niks, Els!'

Mijn moeder trok mijn kin omhoog en keek me aan. 'Heb jij dat gedaan?'

'Nee mama. Ik was de hele tijd bij Piet. Ik ga toch niet zo'n mooi kasteel kapotmaken?'

'Ik anders wel?' riep Wubbe.

'Je hebt het vast niet expres gedaan,' zei ik. 'Vertel maar aan mama wat er met je schepen en restaurants is gebeurd. En vergeet je vrouwen niet.'

Mijn moeder ging op een keukenstoel zitten. 'Wat bedoelt ze, Wubbe?'

Ik liep de keuken uit. Ik nam een lange warme douche, waste de slagroom uit mijn haren en deed schone kleren aan. Toen ik weer beneden kwam was Wubbe weg.

Mama zat nog steeds op dezelfde keukenstoel en zag er somber uit.

'Die Wubbe is een gevaarlijke man. Waar hij komt, gaat alles mis,' zei ik. 'Wees maar blij dat je van hem af bent. Je bént toch van 'm af?'

'Wubbe zien we niet meer terug. Die is woest.'

'Hoezo?'

Mijn moeder stak een papiertje met Chinese tekens omhoog. 'Dit vond ik in de resten van de taart. Ik kon me niet voorstellen dat Wubbe vuurwerk in zijn eigen creatie stopte. Maar jij doet zoiets wel.'

'We hadden het nog over van oudjaar. Toen lagen we allebei met griep op bed.'

'Hou op met die onzin.'

'Ik moest je waarschuwen,' zei ik. 'Ik wilde niet dat je in een lawine terechtkomt.'

Mijn moeder streek met een cakehand door mijn schone haren. 'Dat is lief van je. Maar het is ook gevaarlijk wat je deed.'

'Het was maar siervuurwerk, mam!'

'Dat stop je toch niet in een taart? Rosa, ik heb liever dat je me de waarheid vertelt, en geen rare dingen doet.'

'Ja mama,' zei ik braaf.

Maar zonder rare dingen is het leven saai.

'Je belt Wubbe op en biedt je excuses aan.'
'Waarom?'
'Die man slooft zich uit om een kasteel voor je te maken en jij vernielt het.'
'Ik wou het alleen maar een beetje spetterender maken!'
'Dat is dan heel goed gelukt. En als je hem gebeld hebt, heb ik nog een karweitje voor je,' zei mijn moeder. 'De keuken opruimen. En dat doe je de hele maand, voor straf.'
'Wát?'
'Je denkt toch niet dat je er zomaar vanaf komt?'
'Ik deed het allemaal voor jou,' zei ik. Mijn moeder duwde me de telefoon in de hand. 'Dit is het nummer.'
'Wubbe!' zei een norse stem.
'Hallo Wubbe, met Rosa. Niet ophangen! Het spijt me, van het kasteel. Ik heb iets gemeens gedaan. Sorry.'
'Ik ben nog steeds boos,' zei Wubbe.
'Ik heb nog steeds spijt,' zei ik. 'Kun je me vergeven?'
'Nu even niet. Geef je moeder maar.'
'Dag Wubbe.' Opgelucht gaf ik de telefoon aan mijn moeder. Ze praatte zachtjes tegen hem.
Ik begon met opruimen.
Mama zette de telefoon neer. 'Wubbe wil me niet meer zien. Hij is als de dood voor stiefdochters zoals jij.'
'Vind je het erg, mama?'
'Ik kom er wel overheen. Maar jij gedraagt je voortaan beter!'
De slagroom zat in de kleinste hoekjes. Mama hielp me, al verdiende ik het niet, zoals ze drie keer zei.
Toen we klaar waren, werkte ik het dossier bij. Maar ik schreef geen stuk voor de Kinderpagina van *De Bazuin*. Ik had het gevoel dat de lezers mij niet zo aardig zouden vinden...

6. Jesse (1)

Ik zat naast Sanne op haar bed, met een glas thee en een schaaltje koekjes. Ik had haar net verteld over Wubbe.

'Jij bent echt te erg,'zei Sanne. 'Ik heb nou al medelijden met de man die je stiefvader wordt.'

'Niemand wordt mijn stiefvader. Kijk je nooit naar Dr. Phil? Stiefvaders *from hell* waren er laatst. Een van die kerels was nog erger dan een dictator.'

'Jij zou een stiefdochter from hell zijn.'

'Jij hebt makkelijk praten, je hebt een leuke vader.'

'Nou, die heeft ook zijn mankementen hoor! Heeft je moeder al een nieuwe *lover*?'

'Het zou me niks verbazen als ze vanavond een afspraak heeft. Ze deed zo geheimzinnig. Ik ben veilig opgeborgen bij jou thuis. Maar wat gebeurt er allemaal in mijn huis?'

'Oude mensen van boven de veertig zouden niet meer verliefd mogen worden,' zei Sanne.

'Ze hebben hun kans gehad,' zei ik. 'Hoe is het trouwens met je broer?'

Ik bloosde, en probeerde mijn gezicht achter het theeglas te verbergen. Maar Sanne had me door.

'Hoeveel honderden keren moet ik nog zeggen dat Jesse veel te oud voor je is? Hij zit al in drie vwo.'

'Nou en?'

'Hij vindt je een baby.'

'Ik ben geen baby, maar een prepuber. Heeft Jesse al een vriendin?'

'Nee, prepuber.'

'Een vriend dan?'

'Nee!'

'Als mijn moeder een vriend wil, mag ik er ook een.'

'Wat zie je toch in mijn broer? Hij is lui, slordig, en heeft een grote bek. Hé! Eigenlijk past-ie precies bij jou.'

Ik gaf Sanne een duw. Niet zo hard, want ze had een halfvol theeglas in haar hand.

'Heeft hij het wel eens over me?'

'Nee.'

'Daar gaan we dan voor zorgen.'

'Heb je weer eens een plan?'

'Stil! Ik denk na.'

Sanne slurpte haar thee op. Ze heeft zwarte krullen en blauwe ogen, net als Jesse en haar oudere zus Marije. Marije! Ik wist wat ik moest doen.

'Is Marije thuis?' vroeg ik.

'Die is met haar klas naar Venetië. Zij wel.'

'Ik wil haar kamer wel eens zien,' zei ik.

'Als je me nou meteen vertelt wat je van plan bent,' mopperde Sanne.

Maar ze ging me voor naar de kamer van Marije. We liepen langs de kamer van Jesse. Er klonk luide muziek en op de deur hing een stuk papier waarop stond dat het betreden van de kamer levensgevaarlijk was en helemaal op eigen risico. Met getekende geweren en bloederige messen was deze boodschap omlijst.

Marije's kamer rook nog naar parfum. Tegen de wand stond een grote klerenkast. Ik deed een deur open.

'Heeft je zus grote sjaals?' vroeg ik.

'Een paar.' Sanne trok een la open. Ze pakte een groene en een rode sjaal.

'Die kunnen we wel als rok gebruiken,' zei ik. 'Heeft ze ook topjes?'

Sanne trok weer wat laden open en pakte een paar gekleurde hemdjes.

'We gaan ons verkleden,' zei ik.

'Waarom?'

'Weet jij iets anders leuks?'

'Tv kijken. Buiten spelen. Muziek luisteren.'

'We gaan zo muziek luisteren.' Ik trok mijn broek, schoenen, sokken en T-shirt uit, en trok een rood topje aan. De rode sjaal bond ik om mijn heupen. Het topje stroopte ik op, zodat mijn navel te zien was.

Ik bewoog mijn armen alsof het slangen waren en heupwiegde verleidelijk. 'O Mustafa, o Mustafa,' zong ik.

'Moet je een buikdanseres voorstellen?' vroeg Sanne. 'Ha!'

Aan de muur hing een grote spiegel, en er stond een kastje en een stoel onder. Ik deed een la open. Daarin lag rommelig de make-up van Marije, die ze thuis had gelaten. Een doos met twintig kleuren lippenstift.

Ik smeerde mijn gezicht in met bruine make-up, trok zwarte lijnen om mijn ogen en stiftte mijn mond rood. Met mijn handen streek ik door mijn haren, zodat ze er woest uitzagen.

Sanne liet zich op het bed vallen van het lachen. 'Je ziet er niet uit,' zei ze, tussen de lachbuien door.

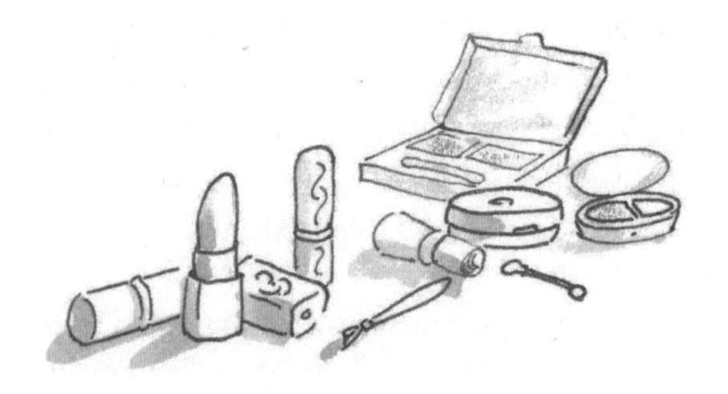

'Doe nou niet zo flauw,' zei ik, en ik smeet haar een topje en een sjaal toe.

'Nou vooruit,' zei Sanne. 'Al snap ik niet wat je hier nou mee wilt bereiken.'

Even later stond ze voor me. Door die zwarte krullen leek ze meer op een buikdanseres dan ik. Ze had ook meer buik.

'Heb je oosterse muziek?'

'Nee, maar mijn ouders wel, van hun reisje naar Tunesië. Ga je mee naar beneden?'

We liepen de trap af. In de kamer zocht Sanne tussen de cd's. 'Ik heb 'm!'

Ze zette de cd op, en een vrouw begon een lied te zingen. Wij heupwiegden zo hard we konden mee op de maat van de muziek.

Sanne's moeder deed de deur open. Lachend bleef ze naar ons staan kijken.

Sanne klom op tafel en heupwiegde. Ze deed het beter dan ik, en dat kon natuurlijk niet. Want achter Sanne's moeder zag ik Jesse staan. Sanne's moeder en Jesse klapten in de maat mee om ons aan te moedigen. Ik durfde niet naar hem te kijken, en klom naast Sanne op de tafel en heupwiegde alsof mijn leven er vanaf hing.

Ik strekte mijn armen naar de hemel toen ik gelach hoorde. Op hetzelfde moment voelde ik dat de sjaal naar mijn knieën was gezakt en dat ik stond te dansen in mijn blauwe onderbroek. Ik trok de sjaal als de bliksem omhoog en sprong van de tafel. Het liefst was ik naar Sanne's kamer gevlucht, maar Sanne's moeder en Jesse stonden in de weg. Jesse had zijn mobiel in zijn hand.

Sanne's moeder klapte. 'Dat was prachtig. Bravo!'

Jesse grijnsde, draaide zich om en liep naar zijn kamer.

Sanne stapte van de tafel af en zette de cd uit. 'Waren we niet goed?' vroeg ze.

Had ze niet gezien wat er gebeurd was? Mijn wangen waren nog steeds rood van schaamte onder de make-up.

'Gelukkig had je een schone onderbroek aan,' zei ze. Ik had zin om haar een mep te geven.

'Als jullie je omkleden is de soep klaar,' zei Sanne's moeder. 'Ik heb er Turks brood bij. Dat past wel bij jullie verpletterende optreden.'

We gingen onder de douche, en trokken onze eigen kleren weer aan. Ik wilde het liefst naar huis, maar ik zou bij Sanne blijven slapen. Bij het avondeten kwam ik Jesse weer tegen, en hij zou me natuurlijk uitlachen.

'Ik denk dat ik maar naar bed ga,' zei ik. 'Ik voel me niet zo goed.'

Sanne sloeg een arm om me heen. 'Kom op,' zei ze. 'Trek het je niet aan. Ongelukken gebeuren. Zo erg was het nou ook weer niet.'

'Ik stond in mijn onderbroek te dansen op tafel!' riep ik. En tot mijn eigen verbazing barstte ik in snikken uit.

Sanne suste me. 'Het valt allemaal wel mee. Je durft tenminste iets geks te doen. Dat vind ik juist zo leuk van je.'

Maar Jesse? Ik durfde het niet te vragen.

'Er is soep!' riep Sanne's moeder.

Ik veegde mijn gezicht droog met een handdoek, en liep langzaam achter Sanne de trap af.

Op tafel stonden drie kommen. 'Jesse eet niet mee,' zei Sanne's moeder. 'Hij is naar voetbal. Ga maar zitten, dames.'

Ik zuchtte opgelucht. Na het eten zou ik op Sanne's kamer blijven, en dan hoefde ik Jesse vandaag niet meer te zien.

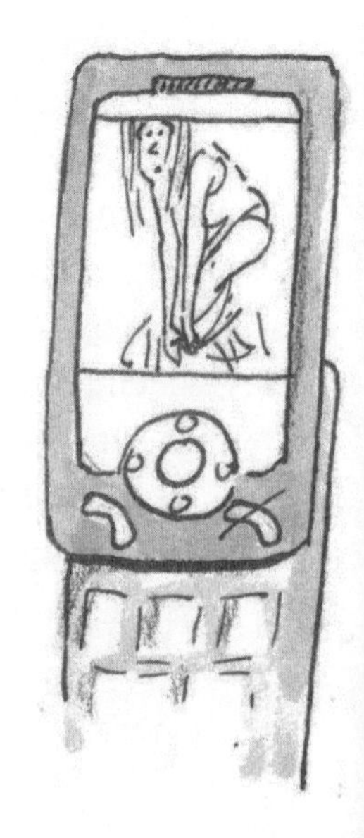

7. Peter

Toen ik een paar dagen later uit school kwam, zat er een vreemde man in de kamer.

Hij had kort, grijs rechtopstaand haar, een opvallende ronde bril van blauwgrijs staal, en droeg een lichtgrijs pak met een wit T-shirt.

Mijn moeder had rode wangen en zei met overslaande stem: 'Peter, dit is mijn dochter Rosa. Rosa, dit is Peter Dalstra.' Ze krabde even op haar hoofd (teken van zenuwen, zie ook overslaande stem) terwijl ze vroeg: 'Wat willen jullie drinken? Wijn, bier, koffie, thee, sinaasappelsap? En ik heb ook jonge jenever. Maar weer geen cola.'

'Ik wil wel een borrel,' zei ik.

Peter lachte. 'Geef mij maar een glaasje rode wijn.'

Toen mijn moeder naar de keuken was, zei ik: 'We hadden nog een fles rode wijn open staan van de vorige lover.'

'Wat is er met hem gebeurd?'

'We hebben hem in plakjes gesneden, gestoofd en opgegeten.'

'Je bent een grappig kind,'zei Peter.

'Heb jij kinderen?'

'Een dochter, maar die is al getrouwd.'

'Wat doe je voor de kost?'

'Ik ben schilder,'zei Peter.

Het houtwerk in ons huis kan wel een beurt gebruiken, maar ik snapte meteen dat hij niet zo'n schilder was.

'Abstract of figuratief?' Ik let echt wel op in de les.

'Abstract.'

Mijn moeder kwam binnen met een dienblad met twee

glazen wijn en een glas sinaasappelsap.

'Is dat nog de wijn van Wubbe?' vroeg ik.

'Laat de grond opensplijten en dit kind meenemen,' zei mijn moeder. 'Natuurlijk niet!'

Zure oude wijn? Peter nam voorzichtig een slokje, en zei opgelucht: 'Proost!'

Mijn moeder ging op het puntje van de bank zitten. 'Hoe gaat het met de komende expositie?'

Voordat Peter had kunnen antwoorden, zei ze tegen mij: 'Peter heeft een grote expositie in het Museum voor Moderne Kunst. Over een paar maanden exposeert hij in New York.'

'En Montreal,'zei Peter.

'De koningin heeft doeken van hem in huis. Zij kent hem persoonlijk.'

'Het is een vrouw met smaak,' zei Peter. 'Ze heeft veel verstand van kunst. De president van Frankrijk trouwens ook. En de premier van Australië. *Nice people*.'

'Ken je ze goed?' vroeg mijn moeder. De wijn klotste over de rand, maar ze merkte het niet. Ze had het zwaar te pakken, terwijl ik direct een hekel had aan die schilder. Ontspannen en relaxt zat hij op onze bank te praten over beroemdheden, bij wie hij kind aan huis was.

Hij had geen eau de cologne nodig, hij rook al naar rijk en beroemd. Maar wat deed zo'n beroemdheid bij ons thuis aan de eenvoudige kade? Kende hij geen filmsterren om mee uit te gaan? Waarom liet hij zich inschrijven bij Micky?

En ach, ik zag aan mijn moeders ogen al dat ze zich een toekomst voorstelde, waarbij zij aan Peters zijde alle *celebrities* ter wereld ontmoette. Misschien had hij wel een limousine, waar champagne werd geschonken. Voer hij op jachten in de Middellandse Zee.

Om haar weer een beetje met de voeten op de grond te krijgen, vroeg ik: 'Waarom heb je je laten inschrijven bij een kennismakingsbureau? Je zult toch wel genoeg vrouwen ontmoeten?'

'Dat klopt,' zei Peter. 'Maar het zijn vrouwen die door mijn status als beroemde schilder worden aangetrokken. En ik wil iemand die mij waardeert om mijzelf.'

'Dan kun je beter zeggen dat je huisschilder bent,' zei ik.

'Ik zeg ook niet meteen wat ik doe,' zei Peter.

'Maar je begon er toch wel gauw over,' lachte mijn moeder. 'Ik ben trouwens helemaal niet iemand die let op geld en roem,' loog ze.

'Ik wel,' zei ik. 'Ken je Zaphora?'

'Die heb ik wel eens horen zingen op een feestje van de minister van Cultuur, Alberta. Een tof mens, en een liefhebber van mijn werk. De minister bedoel ik.'

Ik begreep opeens waarom sommige mensen met een stanleymes een kunstwerk aan repen snijden. Gelukkig had ik zo'n mes niet, anders zou het er slecht uitzien voor het werk van Peter Dalstra. Die opschepper moest zo gauw mogelijk het huis uit. Mijn moeder dacht daar heel anders over. Die zag het schip met geld beladen al binnen varen, met Dalstra aan het roer.

Ik zat te broeden op een plan om die Dalstra voorgoed uit ons leven te laten verdwijnen. Daarom lette ik niet op zijn geklets.

Opeens was het stil. Mijn moeder en Peter zaten me aan te kijken.

'Waarom zeg je niks?' vroeg mijn moeder.

'Het kind is helemaal verbijsterd,' zei Peter.

'Watte?' vroeg ik dom.

'Peter vroeg aan ons of wij de koningin

wilden ontmoeten. Wat vind je daarvan?'

'O. Ja, ja natuurlijk! Maar mag dat zomaar?'

'Ik mag een introducé meenemen. En als ik het vriendelijk vraag, mag haar lieve dochter ook wel mee. Hare Majesteit is vast erg benieuwd naar de directeur van het Oudheidkundig Museum.'

'Maar dat ben ik niet!'

'Over een paar jaar wel, Els.' Peter pakte mama's hand en gaf er een bemoedigend kneepje in.

'Nou, als het moet...' Mama lachte een beetje zuur. Ze houdt nou eenmaal niet van liegen.

Ik zag de krantenkoppen al voor me:

Conservator (42) geeft zich uit voor directeur!

Els de W. is in de cel gegooid omdat zij zich voordeed als de directeur van ons Oudheidkundig Museum.

'Ik wilde de koningin zo graag zien,' zegt ze snikkend. 'Ook voor mijn dochter Rosa.'

De koningin voorliegen wordt bestraft met drie maanden cel en een dieet van water en brood.

Later vertelde ik alles aan Sanne.

'Dus gaan we zaterdag naar het Paleis,' zei ik.

'Het is niet waar!'

'En dan mag ik de koningin een hand geven.'

'Wat ga je zeggen?'

'Waarom neemt u geen andere kapper? Mag ik eens komen logeren? Wat zou u ervan vinden, hoogheid, als ik eens meereed in de Gouden Koets?'

'Een kritische onderdaan ben je. Mag ik mee? Ben ik zogenaamd je zus.'

'Ik wou dat het kon, maar dat mag niet. Vertel je het aan Jesse?'

'Jaja. Maar je moet zeker een jurk aan.'

'Ja, dat is erg. Mama en ik zijn de stad in geweest. Ze wou me een bloemetjesjurk aansmeren, maar dat weigerde ik. Ik heb een witte jurk met witte platte schoentjes.'

'Och, wat schattig!'

Ik gaf Sanne een por. 'Je bent gewoon jaloers.'

'Ja,' zei ze. 'Zelfs al zou ik een bloemetjesjurk aanmoeten tot op de grond, dan zou ik het toch doen om de *queen* te zien.'

Ze pakte mijn rechterhand. 'Nu zijn je vingers nog heel gewoon, maar na zaterdag zijn ze koninklijk. Wil je me dan nog wel kennen?'

'Daar zal ik nog eens diep over nadenken!'

Daar stonden we dan, voor Het Paleis op de Dam, mama, Peter Dalstra en ik, tussen een groep mensen. Peter droeg een oranje das, wat me een beetje tegenviel van een kunstenaar. Mama had vuurrode wangen en beet op haar onderlip. Mijn buik deed pijn. Peter wees naar de andere beroemde kunstenaars die er waren en vertelde hoe goed hij ze kende, maar mama en ik waren te zenuwachtig om te luisteren.

'Als ik maar wat kan zeggen, als Zij mij iets vraagt,' kreunde mijn moeder. 'Ik heb ineens zo'n schorre keel.'

'Och, dat gaat vanzelf,' zei Peter. 'Je vertelt iets over je museum. Ik geloof niet dat Zij geïnteresseerd is in oude kruiken, maar *what the hell*.'

'Je ziet er geweldig uit, mam!'

Mijn moeder droeg een zwierige rode jurk en rode schoenen met hoge hakjes en rode lippenstift. Ze had haar haar bij een dure kapper laten knippen, en nu leek het net alsof ze krullen had.

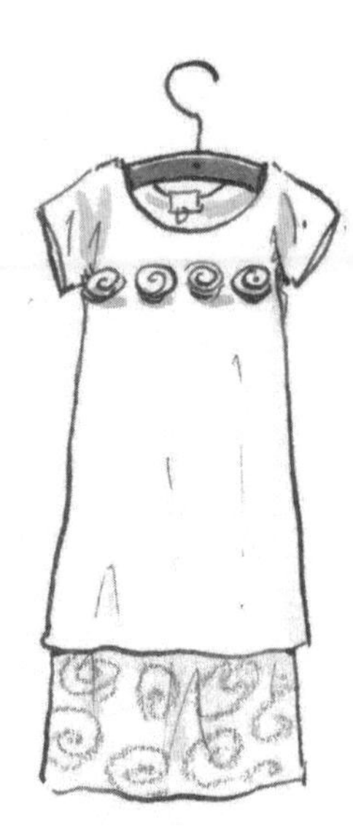

'Je bent betoverend, Els!' zei Peter.
Eindelijk.

'Jullie ook,' zei mijn moeder met een zenuwachtig lachje.

Een paleisdeur ging open. Twee strenge mannen in uniform gebaarden dat we naar binnen mochten. In een hal werden we als vee bijeengedreven, en daar werden de grote mensen gefouilleerd door weer andere bewakers. Mijn moeder moest haar handtasje openmaken. Haar handen beefden toen ze het weer dichtknipte.

Mij keken ze me alleen maar streng aan. Ik glimlachte als een engel, in mijn witte jurk, maar mijn knieën trilden.

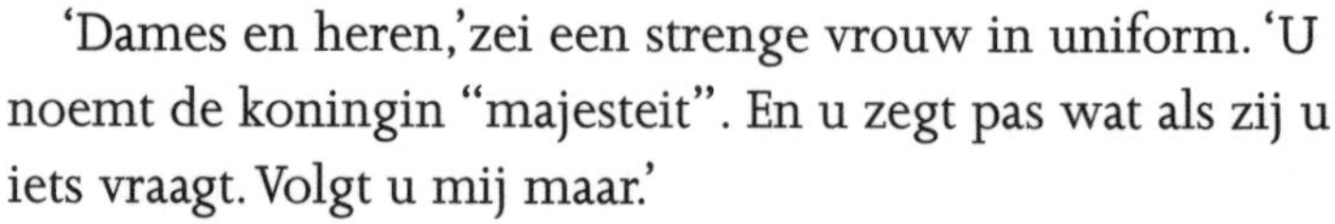

'Dames en heren,' zei een strenge vrouw in uniform. 'U noemt de koningin "majesteit". En u zegt pas wat als zij u iets vraagt. Volgt u mij maar.'

Wij liepen achter haar aan door lange gangen en trappen. Onze voetstappen klikklakten op de harde vloer.

De koningin moest ons al van ver horen aankomen, als een kudde vee. Niemand zei iets. Zelfs Peter hield zijn mond, wat heel bijzonder was. Belangrijke mensen van vroeger keken vanaf hun schilderijen afkeurend op ons neer.

Ik kon me heel goed voorstellen dat ik hier zou wonen. Op rolschaatsen zou ik door de gangen zwieren. Ik zou partijtjes geven waarvoor ik de hele school uitnodigde. Ja, dat had allemaal gekund als mijn moeder met prins Willem-Alexander zou zijn getrouwd.

Maar die was al getrouwd. En de andere prinsen ook. Dan zouden ze eerst moeten scheiden.

Voor een grote deur stopten we. Hier moesten we zijn. De

bewakers (of waren het lakeien? Ze droegen geen pruiken en lange jassen) vertelden ons dat we in een lange rij moesten gaan staan.

Peter Dalstra stond als eerste in de rij. Mama en ik stonden achter hem. De deuren gingen open…

Ik zag een grote zaal, en daar, op een stoel, zat de koningin. Ze zag er veel kleiner en ouder uit dan op tv. Twee hofdames stonden achter haar. Toen Peter naar haar toe liep ging de koningin staan. Mijn hart bonsde in mijn keel. Peter lachte, boog en de koningin reikte hem de hand.

'Meneer Dalstra,' zei ze. 'Wat een genoegen om u weer te zien.'

'Insgelijks, Majesteit!'

'Ik heb een nieuwe bank gekocht, een grijze. Daarboven zou ik graag een kunstwerk van u zien. Heeft u nog wat in de aanbieding?'

'Ik heb net een groot schilderij voltooid dat uw bank nog beter tot zijn recht kan laten komen: *Onbewaakte overgang nummer vijf*. De directeur van het Museum van Moderne Kunst in New York heeft al belangstelling getoond, maar u gaat voor, zoals altijd.'

'Ik kom graag eens kijken,' zei de koningin. 'Wie heeft u meegebracht?'

'Els de Waal, directeur van het Oudheidkundig Museum, en haar dochter Rosa.'

Mijn moeder maakte een rare buiging en lachte al haar tanden bloot. Ze keek een beetje ongemakkelijk bij het woord: directeur. Ze gaf de koningin een hand en mompelde: 'Prettig kennis met u te maken, Majesteit.'

Ze was helemaal vergeten dat de koningin eerst iets moest zeggen.

'Het museum van oude kunst? Wat interessant!' zei de koningin.

'Veel oude kruiken en zo,' zei mijn moeder. Ze was van plan geweest om te vertellen over het tegeltableau dat ze hadden gevonden, en dat allerlei spreekwoorden uitbeeldde.

'En dit is Rosa?' De koningin stak haar hand uit. Ik pakte hem beet en hield hem zo lang mogelijk vast.

'Ik ben genoemd naar Rosa Overbeek, uit het boek *Kees de jongen*,' zei ik.

'Dat boek ken ik wel,' zei de koningin.

'Theo Thijssen is hier vlakbij geboren,' zei ik. 'In de Jordaan.'

'Die gezellige volkswijk,' zei de koningin.

Ze keek al naar de volgende persoon in de rij. Ik moest snel zijn.

Uit mijn zak pakte ik mijn mobiel, strekte mijn arm uit en drukte op de knop. De mobiel flitste. We moesten er allebei opstaan, de koningin en ik.

'Geen foto's hebben we gezegd,' zei een bewaker. Hij probeerde de mobiel uit mijn hand te grissen, maar ik hield het ding stevig vast. Hij pakte me bij mijn schouders en duwde me weg. De koningin keek me onthutst na.

'Sorry Majesteit!' riep ik.

'Laat mijn dochter los!' riep mijn moeder. Ze trok aan de arm van de bewaker.

Er kwam een tweede bewaker die mijn moeder vastpakte, en we werden allebei naar een andere zaal gebracht. We werden langs Peter Dalstra gesleept. Hij deed net of hij niets zag en nam een toastje met zalm van een zilveren schaal.

'Gasten moeten zich gedragen,' zei de bewaker. 'Je mag niet zomaar foto's van de koningin nemen. Dat wist je.'

'Ze zei toch sorry,' zei mijn moeder. 'Het is nog maar een kind. Jullie zijn wel erg streng.'

'Geef je mobiel nu maar,' zei een bewaker.

'Moet dat echt? Ik heb er maar een en we zijn arm. Ik krijg nooit een nieuwe.'

'Precies,' zei mijn moeder. 'Eigen schuld, dikke bult.'

'Vooruit dan maar. Maar u mag de foto niet gebruiken voor persdoeleinden. Afgesproken?'

'Afgesproken,' zei mijn moeder.

'Ik zal de foto wissen,' loog ik.

'Mevrouw, als u uw dochter in de gaten houdt, mag u weer naar binnen,' zei de bewaker.

'Nee, dank u,' zei mijn moeder. 'Ik heb genoeg gezien.'

'Wil je echt niet meer naar binnen, mam? En Peter dan?'

'Die Dalstra kan naar de maan lopen. Hij kwam niet voor ons op, zoals een echte man gedaan zou hebben!'

Peter was van de baan. En dat had-ie helemaal zelf gedaan.

We werden door een bewaker naar de uitgang gebracht. De deur ging open, en we stonden weer buiten. De deur ging met een klap dicht.

'Eigenwijs kind!' zei mijn moeder. 'Moest je weer zo nodig de boel op stelten zetten?'

'Ik heb een mooie foto, mam! Kijk!'

'De koningin en jij staan er goed op,' zei mijn moeder. 'Heb je ook zo'n honger?'

'Ja!'

'Dat komt goed uit, want verderop is een patatzaak.'

Ik gaf mijn moeder en arm en samen liepen we naar Het Eetpaleis. Geen chique toastjes met zalm of kaviaar, maar frieten met mayonaise. Yes!

De foto zou ik in mijn plakboek doen. Ik zou een stuk voor *De Bazuin* schrijven van mijn belevenissen ten paleize. Ten paleize: zo zei je dat toch?

8. Renzo

Die zaterdag scheen de zon uitbundig. Mama en ik zaten op een terras in het park achter een koffie verkeerd en een cola te wachten.

'Hé hallo, jij moet Els zijn, en jij Rosa Overbeek,' zei een jonge man. Hij had mooie witte tanden, lichtbruin halflang haar en bruine ogen. Hij zag er een stuk jonger uit dan vijfendertig. Hij droeg een spijkerbroek, gekleurde gympen en een wit T-shirt met een grote zwarte R. 'Ik ben Renzo.'

Hij gaf ons elk drie kussen op onze wangen en hij rook heerlijk naar aftershave.

Mijn moeder vond hem wel leuk, dat zag ik aan haar brede glimlach. Micky had haar werk goed gedaan.

Renzo bestelde een chocolademelk, en keek ons lachend aan. 'Jullie zijn een opvallend stel,' zei hij. 'Ik ben vereerd met zulke knappe dames kennis te maken.'

'Dank je wel, Renzo,' zei ik. 'Wat doe je voor de kost?'

'Rosa!' zei mijn moeder.

'Ik heb een speelgoedwinkel. "Speel!" heet hij.'

'Gaan we daarheen?' vroeg ik. Ik ben natuurlijk te oud voor kinderspeelgoed, maar ik was toch nieuwsgierig.

'Als je dat leuk vindt,' zei Renzo.

'Een andere keer,' zei mijn moeder.

'Verkoop je de rappende beer?' vroeg ik.

'Die vliegt de winkel uit,' zei Renzo.

'Ik ben de rappende beer, ik zeg lieve schat elke keer, als jij aan mijn oor trekt ben ik blij, want wij horen bij elkaar ik en jij,' rapte hij. 'Sorry, ik hoor het de hele dag.'

'Jij kunt goed rappen,' zei ik.

'Ik zou het liefst rapper zijn geworden, of popzanger, maar ik moest de winkel van mijn vader overnemen. Hij is ziek geworden. Hij helpt me nog wel hoor, maar de winkel alleen kan hij niet meer aan.

Dat zou ik nooit doen, het museum overnemen van mijn moeder als ze directeur was geworden. Want dat wil ze, dus dat zal heus wel gebeuren.

'Je hebt een hart van goud,' zei ik.

'Dank u, dame.' Renzo maakte een buiging. 'Zullen we het park in gaan?'

We wandelden door het drukke park. Mijn moeder keek af en toe naar Renzo. Ik zag het wel!

'Wat wil jij worden?' vroeg Renzo.

'Journalist. Ik ga na de zomer naar de middelbare school. Met mijn vriendin Sanne. Haar broer Jesse zit daar al op.'

'Die Jesse vind je wel een leuke jongen, hè?' vroeg Renzo.

'Helemaal niet!'

'Ik zie het aan het puntje van je neus. Dat krulde helemaal om toen je zijn naam zei.'

'Je hebt het wel vaak over Jesse,' zei mijn moeder. 'Vertel eens, Rosa?'

'Sorry,' fluisterde Renzo in mijn oor. Opeens stond hij op zijn handen naast ons. Hij liep wel een paar meter ondersteboven. Zijn T-shirt zakte over zijn hoofd en liet een strakke, bruine buik zien. De mensen in het park applaudisseerden.

Renzo sprong weer in de normale mensenhouding. Hij veegde zijn haar uit zijn ogen en zei: 'Pfff. Ik word oud.'

'Ik wil ook!' zei ik.

'Doe nou maar niet,' zei mijn moeder.

'Kom maar,' zei Renzo. Hij hield me vast. 'Benen in de lucht! Bravo!'

Ik stond op mijn handen. Renzo bleef me vasthouden, terwijl ik voorzichtig de ene hand voor de andere zette. Het grind prikte in mijn handen.

'Ik wil een foto maken, blijf nog eventjes staan, Rosa!' Mama maakte een foto met haar mobieltje. Ik had het gevoel alsof mijn hoofd een ballon vol water was, dus ik spartelde en kwam met Renzo's hulp weer rechtop te staan. 'Die foto stuur ik naar je vader op,' zei ze.

Ze was Jesse vergeten. We kwamen in het gedeelte van het park waar je oefeningen kon doen. Renzo en ik liepen achter elkaar over een evenwichtsbalk.

Hij viel er twee keer af, ik één keer. Mama kon niet meedoen, die droeg schoenen met hakjes.

We slingerden aan een touw langs de bomen en lieten ons met een plof in het zand vallen. Mama stond naar ons te kijken. Ze wilde ook niet in het grote rad, waarin je hard moest lopen anders viel je. Renzo rende in het rad alsof hij een hamster was. Maar dan een hamster die alleen op zijn achterpoten liep.

Ik probeerde het ook, en viel, maar hij trok me weer overeind. 'Iets sneller, Rosa,' zei hij. Zo lukte het me toch.

'Nou willen wij!' zei een meisje, en toen sprong ik uit het rad. We gingen verspringen. Renzo kwam niet eens zoveel verder dan ik.

'Je laat me toch niet winnen, hè?' vroeg ik.

'Dat had je gedacht!'

'Zullen we een eindje verderop kijken? Daar is een concert,' zei mama.

We klopten het zand van onze kleren en liepen naar het concertpodium. We gingen zitten op een van de bankjes. Er klonk luide rockmuziek. Op het podium stond een jongen luchtgitaar te spelen.

'Wauw!' riep Renzo, en opeens was hij weg. We zagen hem opduiken bij het podium, even smoezen met een man, en hup! Daar stond hij op het podium en begon luchtgitaar te spelen. Hij sprong in de lucht en draaide rond terwijl hij zogenaamd zijn gitaar bespeelde. Hij lag op de grond en hield de onzichtbare gitaar met zijn voeten vast terwijl hij speelde. Het publiek klapte en juichte. Ik maakte een foto. Renzo was een aanwinst voor mijn dossier!

Renzo boog, en sprong lenig van het podium.

'Geweldig!' Ik pakte zijn hand en schudde die. 'Leer je me dat ook?'

'Natuurlijk, Rosa. Je zult zien hoe makkelijk het is. Zullen we nu een ijsje gaan eten? Ik ben uitgedroogd.'

De ijstent stond vlakbij.

'Wat een hoop smaken,' zei Renzo. 'Help me eens kiezen, jongens. Ik weet het nooit.'

Het werd chocola, bosbessen, pistache en nootjesijs. Met een heleboel slagroom erop. We likten aan onze ijsjes.

'Lekker hè?' zei Renzo. Op zijn neus zat slagroom.

'Ja nou,' zei ik met een volle mond.

Mijn moeder zei niets. Die wilde geen ijs.

'Hou je niet van ijs?' vroeg Renzo.

'Jawel, maar ik heb er nu geen zin in.'

'Anders wordt ze te dik,' zei ik om haar te pesten.

'Els is zo slank als die lindeboom daar,' zei Renzo.

'Er zit slagroom op je neus,' zei mijn moeder.

Toen merkte ik pas dat ze vreselijk de pest in had.

Maar waarom? Als ik een zeiler op het IJsselmeer was geweest en zij de zwarte lucht, dan had het er slecht voor me uit gezien.

'Ik ga naar huis,' zei ze.

'Nu al?' vroeg Renzo. 'Wil je niet op de vijver varen?'

'Nee,' zei mijn moeder.

'En de schommels en de glijbaan hebben we ook nog niet gehad,' zei ik.

'De glijbaan is gaaf,' zei Renzo. 'Je hoeft niet bang te zijn voor je jurk want ze hebben een matje.'

'Als jullie gezellig willen blijven spelen, moeten jullie dat beslist doen,' zei mijn moeder. 'Ik ben geen kind meer. Het spijt me enorm.'

Ze draaide zich om en liep naar de uitgang.

'Els!' Renzo holde haar achterna. 'We gaan iets doen wat jij leuk vindt, goed? Gewoon op een terrasje zitten en wat praten, ja?'

'Ga jij niet liever de glijbaan op?' vroeg mijn moeder.

'Ja, maar als jij dat niet wilt doen we dat toch gewoon een andere keer?'

'Er komt geen andere keer,' zei mijn moeder. 'Ik heb al een kind, Renzo.'

En ze stapte vastberaden naar onze fietsen.

Ik bleef bij Renzo staan. Ik voelde me vreemd. Ik was teleurgesteld omdat mijn moeder Renzo niet aardig vond. En hij was de eerste man die me deed denken dat het hebben van een stiefvader misschien toch wel leuk kon zijn. Hij zou de ideale stiefvader voor me zijn. De speelgoedwinkel, altijd spelletjes doen.

'Ik vind je heel aardig,' zei ik. 'Ik snap helemaal niks van mijn moeder. Dikke koks en opschepperige kunstenaars vindt ze leuk, maar jou niet? Hoe kan dat nou?'

'Ik vind jullie allebei gaaf,' zei Renzo.

'Ik zal thuis met mama praten,' zei ik.

'Dat is lief van je, maar heeft geen zin,' zei Renzo. 'Ik ben nou eenmaal een beetje een kind. Misschien komt het door mijn werk. Je moeder wil een serieuze man, en niet eentje die het liefst de hele dag op zijn handen zou lopen. Gelijk heeft ze.'

'Ze heeft helemaal geen gelijk. Ik ga het toch proberen!' zei ik tegen Renzo. Hij lachte.

'Je doet je best maar, Rosa. Het was fijn om je te ontmoeten. Kom maar eens een keer in de winkel kijken. Dag!'

En Renzo holde weg, de stad in.

Ik liep naar mama. Ze stond nog op me te wachten bij de fietsen.

'Mam, de volgende keer ga ik niet mee. Dan gaan jullie samen uit, naar een concert of zo. Dan kun je Renzo beter leren kennen.'

'Renzo is een groot kind,' zei mijn moeder. 'En daar zit ik niet op te wachten. We moeten nog boodschappen doen. Wat wil je eten?'

'Niks!' Ik stampte op de grond. 'Nou kom je eens een leuke man tegen en dan wil je hem niet.'

'Jij vindt hem een leuke man, ik niet. En daarmee basta.'

Mijn moeder stapte op haar fiets.

'Probeer het nou nog eens met hem,' smeekte ik. 'Eén keertje maar!'

Mama fietste door, zonder antwoord te geven. Ze had haar beslissing al genomen. Wat kunnen volwassenen toch stijfkoppig zijn!

Terwijl mijn moeder met Micky belde, zat ik te piekeren op de bank. Kon ik maar met iemand praten! Mijn vader lag in Australië te slapen.

Ik stond op en keek uit het raam. Wat was ik blij toen ik Piets rug zag bij het kanaal.

'Mam, ik ga even naar Piet!'

Ze knikte, had het te druk met Micky te vertellen hoe fout die Renzo was.

Ik rende naar Piet en ging met een bons naast hem zitten. Mijn billen deden pijn van de harde stenen. Piet keek me aan.

'Wat is er met jou aan de hand, kleine spiering?' vroeg hij.

Ik begon te huilen.

Hij sloeg een arm om me heen. 'Vertel het maar aan Piet.'

Maar ik moest eerst even uithuilen. Piet gaf me een grote rode zakdoek om mijn gezicht te drogen en mijn neus te snuiten.

'Gaat het weer een beetje?'

Ik knikte. 'Mama heeft weer een man ontmoet. Renzo heet hij. Hij lijkt zo op papa. En toen snapte ik het pas!'

'Wat snapte je, brasempje van me?'

'Ik wou niet dat mama een nieuwe man kreeg, omdat ik papa terugwil. Ze moeten weer samen zijn, net als vroeger.'

'Dat begrijp ik best.'

'Maar het kan niet, hè? Ze zijn al twee jaar gescheiden. Dat komt nooit meer goed. Hoe kon ik zo stom zijn?'

'Je bent helemaal niet stom, Rosa. Natuurlijk wil je dat je ouders weer bij elkaar komen.'

'Maar dat zal niet gebeuren. Dat snap ik nou wel.' Ik huilde weer. Piets zakdoek was helemaal nat. En toen waren de tranen op, en ik was moe. Ik zuchtte en legde mijn hoofd tegen Piets schouder.

'Je bent een wijze meid geworden, Rosa. Je ouders zijn uit elkaar en dat is heel erg. Maar nu kun je er vrede mee hebben. Je zult je gauw beter voelen.'

'Van mij mag mama een man. Als ze hem maar houdt tot ik het huis uit ben.'

'Zeg dat maar tegen haar. Ze zal er wel mee zitten dat jij ertegen bent. Ertegen was. Doe je dat?'

'Yep. Moet ik je zakdoek wassen?'

'Geef die maar weer hier.' Piet stopte de zakdoek in zijn jaszak.

'Ik heb alle vissen weggejaagd met mijn gejank.'

'Ben je gek! Vissen zijn heel nieuwsgierig. Ik wed dat ik er zo een heleboel vang.'

'Zouden vissen ook scheiden?'

'Ze hebben het te druk met in stukjes brood te happen om daarover in te zitten.'

Ik stond op. 'Dan ga ik nu naar mama. Bedankt Piet!' Ik gaf hem een zoen op zijn stoppelwang.

'Succes Rosa!'

Ik holde naar huis. Mama stond in de keuken een lekkere aardappelsalade te maken.

Ik wist niet goed hoe ik moest beginnen.

'Wat zei Micky?'

'Ze zoekt een nieuwe man voor me.'

'Goed.'

Mama keek me aan, met een augurk in de ene en een mesje in de andere hand.

'Meen je dat, Rosa?'

'Ja.'

'Hoe komt dat zo ineens?'

'Ik vind het goed dat je een man zoekt. Zo denk ik er nu over.'

Mama legde de augurk en het mesje neer en liep naar me toe. Ze knuffelde me.

'Ik was net een klein kind,' zei ik. Mijn ogen werden nat en ik wilde niet weer huilen. 'Ik wil je niet meer alleen voor mezelf houden, mama.'

'Ach lieverd.' Mama veegde met een zachte hand langs mijn wangen. 'Ik zeg het nog maar eens: jij moet die man net zo leuk vinden als ik. Anders gaat het feest niet door. Jij bent nummer één voor mij. Daar komt geen man tussen.'

'Dat is hem geraden ook!''

9. John (1)

Jesse zat in de kamer en dronk een glas sinaasappelsap. Hij had zijn ene lange spijkerbroekbeen over zijn andere geslagen. Zijn zwarte haren vielen in plukken voor zijn blauwe ogen.

Mensen zeggen dat schilderijen, beeldhouwwerken, films, boeken en toneelstukken mooi zijn, en mijn moeder zwijmelt weg bij oude kruiken, maar ik vind niets zo adembenemend als het levende kunstwerk Jesse.

Naar lucht happend liep ik de kamer in en ging in een stoel zitten.

'Hai,' bracht ik uit.

'Rosa.'

Wat moest ik zeggen? Wat zeg je als je geen lucht kunt krijgen en je hoofd leeg is, totaal leeg?

Ik zweeg. Jesse zweeg. Zijn zacht geslurp klonk als de mooiste symfonie door de kamer.

'Cool dat je in het Paleis was,' zei hij opeens.

Mijn hart stopte even. 'O ja,' zei ik sullig. Jesse had mijn stukje in de *De Bazuin* gelezen! Waarom kon ik nu niets zegen? Woorden opschrijven, daar had ik geen moeite mee, maar ze uitspreken tegen Jesse was onmogelijk.

'Heeft je moeder weer een nieuwe vriend?' vroeg Jesse.

Waar bleef Sanne? Ze zou in de keuken wat brood voor ons smeren.

'Nee.' Ik slikte. 'Maar daar ga ik wel wat aan doen.'

'Wat dan?' vroeg hij.

'Ik zoek een vriend voor haar.'

'Dat snap ik. Maar heb je al iemand op het oog?'

'Jazeker,' loog ik.

Sanne kwam binnen met een bord met brood. Ze hield het me voor, en ik pakte een bruine boterham met kaas. Eten durfde ik niet waar Jesse bij was. Kauwend zag ik er niet sexy uit.

'Rosa heeft een vriend voor haar moeder gevonden,' zei Jesse. Hij pakte een boterham van het bord, dat Sanne op tafel had gezet. Het was niet eerlijk. Hij kon er wel sexy uitzien terwijl hij in het brood beet.

'Jij?' vroeg Sanne. 'Wie dan?'

'John.' Het kwam zomaar in me op om mijn leraar te noemen. Maar het was een goed idee. John was gescheiden, zag er leuk uit en was aardig.

'Heeft-ie geen vriendin?' vroeg Sanne.

'Daar moet ik nog achter zien te komen. Wedden dat het me lukt?'

Er zat een stukje leverworst op Jesse's kin. Ik had zin om het er af te likken.

'John. Een prima keuze,' zei Sanne.

Jesse knikte. 'Ik heb ook les van 'm gehad. Goeie vent.'

'Rosa doet alles voor haar moeder,' zei Sanne. 'Hoe komt ze opeens zo lief en schattig?'

Ik had zin om haar een schop te geven.

'*Good luck* ermee.' Jesse kwam langzaam overeind. Op zijn lange benen wandelde hij als een cowboy de kamer uit.

'Waarom wil je je moeder en John koppelen? Je wilt toch geen vent in huis?'

'Ik ben er anders over gaan denken. Waarom zou ze geen vriend mogen? Ik dacht alleen maar aan mezelf.'

'Ik sta paf! Hoe komt dat ineens?'

Ik vertelde Sanne over Renzo, en over het gesprek met Piet.

Sanne sloeg een arm om me heen en gaf me een zoen op

mijn wang. 'Je bent geweldig, Rosa. En wij gaan een plan bedenken.'

Die middag was ik wel een beetje zenuwachtig. Zou ons plan lukken?

John had een gedicht op het bord geschreven, dat over de liefde ging. De dichter heette Rutger Kopland.

Een lege plek om te blijven

Ga nu maar liggen liefste in de tuin,
de lege plekken in het hoge gras, ik heb
altijd gewild dat ik dat was, een lege
plek voor iemand, om te blijven.

Iedereen had er wel een mening over. Zodra het gekakel een beetje was verstomd vroeg Sanne: 'Meester? Hebt u een liefste?'

'Nee,' zei meester John. 'Ik ben gescheiden.'

'Hebt u kinderen?' vroeg Sanne.

'Een meisje, Roxanne. Die is net zo oud als jij.'

'Waarom zit ze hier niet op school?' vroeg Sander.

'Zou jij bij je vader in de klas willen zitten?'

'Nee!'

'Daarom dus.'

Sanne stak haar duim op en grijnsde naar me. We konden van start gaan nu we deze belangrijke informatie hadden.

'Schrijven jullie nu zelf een liefdesgedicht,' zei meester John.

De jongens verklaarden als één man dat ze daar niet aan begonnen. Wat dacht de meester wel?

'Het is voor een cijfer,' zei meester John streng.

'Gaan we ze allemaal voorlezen?'vroeg Laura.

'Ja!' riepen de meisjes.

'Nee!' schreeuwden de jongens. Sander zei: 'Ik schrijf dat gedicht omdat het moet, maar ik wil het niet ook nog eens voorlezen!'

'Voorlezen is alleen voor vrijwilligers,' zei meester John.

Ik schreef op:

Voor J.

Jij bent de mooiste
En de liefste
Samen zouden we heel gelukkig zijn
Sprookjes zijn geen verzinsels als je naar ons kijkt
En we leefden nog lang en gelukkig.

De eerste letters vormden een naam. Door dat acrostichon zou de meester me wel een extra punt geven, al was het gedicht een beetje kort. En het rijmde ook niet. Maar dat van de echte dichter ook niet.

Opeens gaf Sanne een gil. Iedereen keek op van zijn blaadje.

'Mijn mp3-speler is weg!'

'Die heb je hier toch niet nodig?' vroeg de meester.

'Iemand uit de klas heeft hem gestolen!' zei Sanne.

'Nou nou,' zei de meester. 'Misschien heb je hem verloren. Of zit-ie in je jaszak.'

'Nee, ik had 'm net nog, mijn dure nieuwe speler,' Sanne snikte. 'Hij zat in mijn tas en nu is hij weg.'

'Kijk nog eens onder je tafeltje,' zei de meester. De kinderen om ons heen bogen zich voorover om te kijken.

'Is-ie turkooizen?' vroeg Laura.

'Ja,' zei Sanne zielig. Ze knipoogde naar me. Hou vol!
'Rosa heeft een turkooizen speler in haar tas,' zei Laura. Ze wees naar mijn tas. In een plastic vakje vooraan zat de speler verstopt.
'Dat is hem!' krijste Sanne.
'Ik heb het ding alleen maar even geleend,' zei ik.
Sanne pakte mijn tas en rukte de speler uit het vakje. 'Dief!'
'Als ik hem echt wilde stelen zou ik 'm wel beter verbergen,' zei ik. 'Mijn gedicht is af.'
'Dat is mooi,' zei de meester.
Sanne rommelde in mijn tas. Daaruit haalde ze het glazen sneeuwbolletje met New York.
Dat had meester John van zijn vakantie meegenomen en het stond altijd op de vensterbank. 
'En wat hebben we hier?' riep ze.
Ik zei niets en keek zo schuldig als ik maar kon.
'Wilde je dat ook alleen maar lenen?' zei Sanne. Ze zette de sneeuwbol in de vensterbank terug.
'Wij moeten na de les eens praten, Rosa,' zei de meester.
'Ja meneer.'
Dat laatste kwartier was vreselijk. De hele klas keek me aan alsof ik een ontsnapte boef was.
Maar ik moest het verdragen, want ik deed het voor mijn moeders geluk.
En dat van meester John, al wist hij dat nog niet. Later zouden we er samen om lachen.
'Weet je nog dat Rosa deed alsof ze een dief was?'

In het kantoortje ging meester John achter zijn bureau zitten. Ik zat op de stoel daarvoor, als de beklaagde.

'Waarom pik je dingen, Rosa?' vroeg hij.
'Kweettutniet.'
'Tuurlijk weet je dat wel. Denk eens na. Je bent een slim kind.'
'Gaat vanzelf. Ik zie iets en dan moet ik het hebben. Maar in winkels durf ik het niet,' zei ik snel, want ik was bang dat hij de politie erbij zou halen.
'Doe je dat allang?'
'Nee meester. Pas een dag of zo.'
'Gelukkig. Maar waarom doe je het?'
Ik haalde mijn schouders op. Het is een schreeuw om hulp, hadden Sanne en ik bedacht, maar ik vond dat nu erg raar klinken. Meester John zou wel eens kunnen denken dat het een grap was als ik zoiets zei.
'Weetikniet.'
'Is thuis alles in orde?' vroeg de meester.
'Mijn ouders zijn gescheiden,' zei ik.
'Maar dat is toch al een paar jaar geleden?' vroeg de meester.
'Ja, maar nu moet ik er steeds aan denken,' zei ik. 'Mijn vader woont heel ver weg. Ik zie hem nooit. Ik mis hem zo.'
Dat was tenminste waar.
'Kan hij niet langskomen?'
'Hij verdient niet zoveel. En mama is wel aan het sparen voor een reis, maar het is duur. Ik weet niet wanneer ik papa weer zie...' Nu had ik graag gehuild, maar het lukte me niet om te huilen zoals Sanne. Ik haalde mijn neus dus maar op.
'Stelen lost niks op, Rosa.'
'Nee meneer.'
'Daar krijg je je vader niet mee terug.'
Ik snifte weer.
'Ik zal je moeder bellen. Zij moet het weten.'

'Kunt u het haar niet beter persoonlijk vertellen?' vroeg ik. 'Aan de telefoon zou ze zo schrikken. Ze is erg gevoelig.'

'Natuurlijk ga ik met haar praten. We komen er wel uit, Rosa. Als je weer iets wilt stelen, wil je mij dan bellen? Of, als het op school is, even naar me toe komen?'

Ik knikte en lachte. 'Ja meneer!'

10. Roxanne (1)

'Kun je die mooie rode jurk niet aantrekken, mam?'

'Waarom? We hoeven niet naar de koningin. Niet dat ik dat zou willen. Op mijn werk hebben ze het er nog over.'

'Ben je niet trots op me?'

'Reuzetrots, want het was een leuk stukje. Alleen kom ik er weer in voor. Schrijf eens iets zonder mij erin, wil je?'

'Yep.' Dat kon natuurlijk niet, want mama was mijn project. Het dossier werd alsmaar dikker.

'Doe iets aan je haar, mam. Het zit vreemd.'

'Ik heb het pas gewassen. Wat geeft dat nou?'

'Wat geeft het? Het is wél mijn meester die langskomt.'

'Ja, en waarom? Dat wilde hij me niet zeggen door de telefoon. Is het iets ergs?'

'Nee mam! En een beetje lippenstift kan toch geen kwaad?'

'Om van je gezeur af te zijn dan.'

Mijn moeder had haar lippen net rood geverfd met haar nieuwe lippenstift toen de bel ging. Ik hoopte maar dat de meester ondanks die oude spijkerbroek en die verwarde haarpieken zou zien hoe mooi en lief mijn moeder was.

In de gang hoorde ik de meester met mijn moeder praten. Er klonk ook een meisjesstem.

Ik deed de kamerdeur open.

Er stond een klein, vierkant meisje. Ze had een vierkante doos met een roze strik in haar handen.

'Dit is mijn dochter, Roxanne,' zei meester John. 'Ik dacht, misschien kan zij met Rosa praten, terwijl u en ik bespreken waarom ik hier ben.'

'Prima,' zei mijn moeder. 'Ga maar naar je kamer met Roxanne, Rosa. Wilt u koffie of thee?'

'Krijgen wij niks?' vroeg ik. 'Wat drink jij, Roxanne?'

'Water met bubbels graag.'

Ik nam de fles bronwater uit de ijskast, en twee glazen, en liep naar mijn kamer.

Roxanne ging op mijn bed zitten. Ze gaf me de doos. 'Voor jou en mij.'

Ik rukte het papier van de doos. 'Bonbons!'

'Anders wilde ik niet mee,' zei Roxanne. 'Ik moet met je praten van mijn vader.'

'Waarom?'

'Geef me eerst een bonbon. Hou jij ook zo van witte chocola?'

'Ja. En daarna van melk. Die vieze pure chocobonbons doen ze er altijd bij, maar voor wie? Wie lust zoiets?'

'Dat vraag ik me nou ook altijd af. Jij mag beginnen met kiezen.'

We verdeelden de bonbons.

'Heb je een mes?' vroeg Roxanne.

Ik pakte mijn zakmes uit een la. Roxanne sneed haar bonbons doormidden. 'Ik wil eerst zien wat erin zit. Die witte crème vind ik niet lekker. Geef mij maar noga.'

'Marsepein is ook lekker!'

Roxanne knikte. 'Af en toe een slokje water drinken om de mond weer schoon te spoelen voor de volgende bonbon.'

'Mag ik een foto maken?'

'Ga je gang. Maar ze willen me toch niet hebben bij het modellenbureau.'

'Het is voor mijn dossier.'

'Voor je dossier? Mij best.'

Ik nam de foto. Roxanne lachte niet. Ze kauwde op een bonbon.

Daarna schonk ik de glazen vol. Het water bruiste. Roxanne nam een teug, en toen de helft van een witte bonbon met een roze vulling.

'Over die echtscheiding,' zei ze met volle mond. 'Mijn ouders zijn ook gescheiden. Wat is daar nou zo erg aan?'

'Mijn vader woont in Australië, dus ik zie hem nooit.'

'Over een paar maanden is het zomervakantie. Dan kan je toch naar hem toe?'

'Betaal jij de reis? Het is wél Australië!'

'Ja hallo! Je kan toch wel wat geld verdienen voor die reis? Schrijf je gewoon weer een stukje voor *De Bazuin*.'

'O, die heb je gelezen?' vroeg ik met een bescheiden glimlach.

'Ja, leuk!' zei Roxanne.

'Ik kreeg boekenbonnen, en geen retour naar Australië.'

'Zoek een krant die beter betaalt. Schrijven kan je.'

Ik zag Roxanne helemaal zitten als stiefzus. Misschien kon ze me helpen met mijn plan.

Terwijl zij bonbons at en boerde, legde ik uit waarom haar vader bij ons was. Vol spanning wachtte ik op wat ze ging zeggen.

'Helemaal fout!' zei ze.

'Is je vader van de verkeerde kant dan?'

'Nee, maar hij is getrouwd toen hij achttien was. Dus hij heeft een heleboel in te halen op het vriendinnenfront. Hij zegt dat hij de eerste vijfenzeventig jaar vrijgezel blijft.

Hij verslijt de ene vriendin na de andere, soms twee tegelijk. Dat is niks voor je moeder.'

Ik keek haar goed aan. Dat zou ze toch niet verzinnen omdat ze jaloers was?

‘Woon je bij je vader?’ vroeg ik.
‘Nee, bij mijn moeder. Die is hertrouwd met een heel aardige man. Liep ze zomaar tegenaan bij de bakker.’
Roxanne sprak de waarheid, dat zag ik aan haar kleine grijze oogjes. Ik legde mijn bonbon neer en zuchtte.
‘Het spijt me, want jij zou een goeie stiefzus zijn,’ zei Roxanne.
‘Ik vind het ook jammer. Krijg ik straks op mijn donder omdat ik zogenaamd gestolen heb. Voor niets.’
‘Ik zou gewoon vertellen aan je moeder dat je voor cupido wilde spelen,’ zei Roxanne. ‘Lust jij die bonbons niet meer, Rosa?’
‘Ik zit vol. Neem jij ze maar.’
‘*Thanks*. Kom je een keer bij me spelen?’
‘Doe ik.’
Toen riep mijn moeder dat we beneden moesten komen.

‘Ga zitten, Rosa,’ zei mijn moeder op strenge toon. ‘We hebben wat te bespreken.’
Meester John en Roxanne waren naar huis.
‘Mam! Voordat je losbarst, wil ik eerst wat zeggen!’
Ik vertelde haar alles. Ze luisterde met open mond. En toen begon ze heel hard te lachen.
Ze stond op, liep naar me toe en trok me tegen zich aan. ‘Gekke meid! Ik kon me ook al niet voorstellen dat jij een dief was. Heb je dat allemaal voor je oude moeder over?’
‘Ja mam.’
‘Ik hoopte dat meester John de vriend was die bij jou past.’
‘Daarom wilde je dat ik me optutte!’ Mama lachte nog harder.
Ik vond het een beetje eng worden.
‘Wil je een glaasje water, mam?’

'Ik neem een glaasje wijn,' zei ze. 'Want je plan is geslaagd. Het klikte tussen John en mij. We gaan een avondje uit.'

Ik verborg mijn gezicht in mijn handen.

'Mam! Ga zitten. Je moet iets weten.'

Ik vertelde haar wat Roxanne me had toevertrouwd.

'Is dat waar? Ik heb al zo veel leugentjes gehoord vandaag.'

'Vraag het haar zelf maar als je je eigen dochter niet vertrouwt.'

'Die Roxanne verzint maar wat,' zei mijn moeder. 'John is helemaal geen rokkenjager. Hij is een degelijke leraar. Dat zie je toch zo.'

'Zij is al een jaar of elf zijn dochter, dus denk je niet dat zij hem beter kent dan jij?'

'Als John met mij uitgaat laat-ie al zijn vriendinnen schieten,' zei mijn moeder. 'Daar zorg ik wel voor.'

Ik had mezelf flink in de problemen gewerkt. De hele school dacht dat ik een dief was en mijn moeder ging uit met die casanova. Ik kon haar niet snikkend zien rondlopen met een gebroken hart, ik moest ingrijpen!

11. John (2)

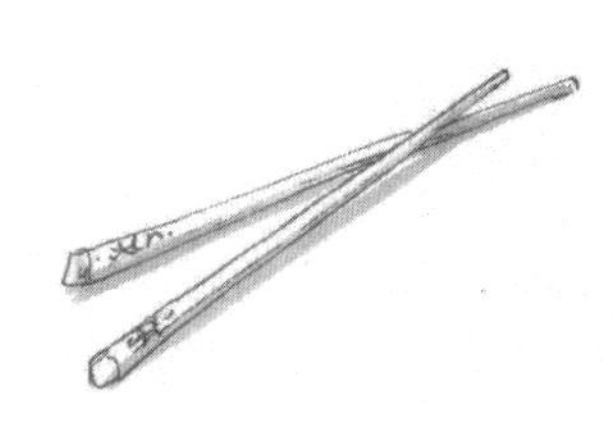

Op school viel het allemaal wel mee. Meester John had verteld dat hij als kind ook wel eens iets had gepikt. Toen bleken er een heleboel openhartige dieven bij mij in de klas te zitten. Ze namen zich allemaal voor om het nooit maar dan ook nooit meer te doen.

Met brave gezichten keken ze me aan. Ik, als bijna enige onschuldige, glimlachte bleek.

Ik had wel wat anders aan mijn hoofd. Ik piekerde me suf over een oplossing van het casanovaprobleem. Hoe kon ik mijn moeder uit de klauwen van de meester redden?

En toen, opeens, had ik het: een plan!

Ik legde het aan Sanne en haar zus Marije voor.

'Moet dat nou zo?' vroeg Marije.

'Hebben jullie soms een beter idee?'

Dat hadden ze niet.

Gelukkig zagen ze de ernst van de situatie in, zodat Sanne, Marije, Marije's vriendin Andrea en ik op een sombere avond over de Zeedijk liepen. We droegen grijze plastic regenjassen en hadden de capuchons over onze ogen getrokken.

'Ik voel me net een detective,' zei Marije.

'We moeten onzichtbaar zijn, anders loopt het fout af,' zei ik.

Dit plan zou me geld kosten. Andrea wilde niet voor de kosten opdraaien, en daar had ze volkomen gelijk in. Ze was een arme studente.

'Ga je erover schrijven?' vroeg Marije.

'Nee, dat vind ik zielig voor mijn moeder.'

We hadden moeite gedaan om de naam van het restaurant aan mijn moeder te ontlokken.

'Hoe heette dat restaurant waar jullie heengaan ook alweer?' had ik gevraagd.

'Ik heb de naam niet genoemd,' zei mijn moeder. 'Waarom wil je dat weten?'

'Gewoon, uit nieuwsgierigheid,' zei ik.

'Ik vertel het je wel als ik terugkom,' zei mijn moeder. 'Ik weet dat je John geen goede keuze vindt, maar ik ben oud en wijs genoeg om mijn eigen beslissingen te nemen.'

'Tuurlijk ben je dat! Ik bemoei me nergens mee.'

'Dat vraag ik me af,' zei mijn moeder.

Ik keek haar met grote, onschuldige ogen aan, zoals een schattige pony zou kijken. Ze vertrouwde het zaakje niet, dat zag ik wel, maar ze had geen flauw idee wat ik in mijn schild voerde.

Ook Marije probeerde haar de naam van het restaurant te ontfutselen. Zij zou oppassen, want haar vader en moeder gingen naar de film, zei ze tegen mijn moeder. En voor het geval er iets met Rosa zou gebeuren, waar kon ze mijn moeder dan vinden?

'Ik neem mijn mobiel mee,' zei mijn moeder. 'Heb je het nummer?'

'Ja, dat heb ik. Nou, een heel fijne avond op de filosofielezing, Els.'

'Filosofielezing? Ik ga uit eten.'

'O, dan vergis ik me. Sorry. Ga je soms naar dat restaurant waar Johannes van Dam over schreef in de krant? Daar wil mijn hele familie ook heen. Het is een Frans restaurant.'

'Nee, ik ga Chinees eten.'

'O, zeker op de Zeedijk?'

'Dat klopt,' zei mijn moeder.
'Bij Lucky Cat?'
'Nee, een ander. Fijn dat je wilt oppassen. Dag Marije.'

Dus moesten we alle Chinese restaurants op de Zeedijk af. We loerden naar binnen. Het was druk in de restaurants. Maar nergens zagen we mijn moeder en John.

Er viel kille natte sneeuw.

'O nee hè?' zei Andrea. 'Mijn nieuwe schoenen naar de maan.'

'Ze zal het toch niet verzonnen hebben, van dat Chinese restaurant? Dat ze bij een Japanner zitten?' vroeg Sanne.

'Waarom zou ze dat doen? Verderop zijn nog meer restaurants,' zei ik. Maar ik begon te twijfelen. Misschien was mijn moeder slimmer dan ik dacht.

'Ik heb honger,' zei Andrea.

'En ik ben ijskoud,' zei Marije.

'Straks gaan we iets warms drinken,' zei ik. 'Ik trakteer.'

'Als we daar tijd voor hebben.' Marije keek op haar horloge. 'We moeten op tijd thuis zijn voordat mijn ouders terug komen.'

'En we lopen nu al uren over de Zeedijk. Dat valt niet mee op die hoge hakken,' zei Andrea.

'Niet zo zeuren, dames,' zei Sanne. 'We zijn er bijna doorheen.'

We hadden pech bij Chi Ling, Orange Blossom, Wei Ping en Peking.

'Lucky Cat kunnen we wel overslaan,' zei Marije.

'Misschien zijn ze daar juist,' zei ik.

En we hadden geluk bij Lucky Cat. Daar zat mijn moeder met meester John aan een tafeltje. Ik zag haar rug in de rode jurk, en de meester in een denim shirt. Hij lachte hartveroverend en hief het glas bier. Ze klonken.

Ik wees Andrea aan waar ze zaten en gaf haar twintig euro. Dat kwam uit mijn spaarpot.

'Als het niet genoeg is, moet je het zeggen,' zei ik.

'Ben je gek,' zei Andrea. 'Ik ga je niet kaalplukken!'

Ze stapte met opgeheven hoofd Lucky Cat binnen.

Wij gingen in het gedeelte van Lucky Cat staan waar maaltijden konden worden afgehaald. Dat was een aparte ruimte, met een nis waardoor ik in het restaurant kon kijken.

Andrea zocht een tafeltje vlak bij mijn moeder. Ze ging zo zitten dat ze John goed aan kon kijken. Ik kon haar gezicht van opzij zien. Ze bekeek de kaart en bestelde iets te eten.

John had haar al opgemerkt, zoals de meeste mannen, wat niet zo vreemd was want ze droeg een T-shirt met een diepe halsuitsnijding, zodat haar borsten voor driekwart te zien waren. Af en toe streek ze met haar hand door haar lange blonde lokken.

'Voor jou!' Marije duwde me een warme loempia in de hand. Al etend bekeken we Andrea's aanpak. Het was heel leerzaam. Ze keek met opgeheven hoofd om zich heen, en af en toe keek ze wat langer naar John. Hij zat te praten met mijn moeder, maar keek soms even naar Andrea.

Andrea glimlachte mysterieus naar hem. Op zo'n glimlach zou ik thuis gaan oefenen.

Hij keek snel voor zich, maar toen mijn moeder zich over haar bord boog om iets te snijden, knipoogde hij naar Andrea. Zij lachte en knipoogde terug.

'We moeten een foto maken!'siste ik.

'Straks zien ze ons met dat flitslicht,' zei Sanne.

Elke keer als mijn moeder even niet naar John keek, omdat ze bezig was met haar eten, loerde John naar Andrea. Hij lachte zelfs naar haar!

'De schoft!' siste ik. Ik gooide mijn half opgegeten loempia in een afvalbak. Ik had zin om hem te wurgen.

Andrea at een loempia en dronk cola. Ze kon eten en flirten tegelijk. John kon eten, flirten én praten tegelijk. Mijn moeder had niets in de gaten. Ze was de enige in het restaurant!

Andrea pakte een briefje uit haar tas en schreef er wat op. Ze vouwde het briefje op tot een vliegtuigje, en gooide het naar John. Het landde op tafel, en ik zag dat mijn moeder het oppakte. John probeerde het nog lachend van haar af te pakken, maar ze schoof naar achteren op haar stoel en las het briefje. Toen keek ze woedend om zich heen. Andrea keek haar met een brutaal gezicht aan. Mijn moeder stond op, liep naar Andrea's tafeltje en gaf haar het briefje terug.

'Hou dat maar bij je!' zei ze. 'We kunnen jouw opdringerige briefjes missen als kiespijn.'

'Zeg dat maar tegen je vriend,' zei Andrea. 'Hij zit zo te sjansen dat zijn ogen bijna uit zijn hoofd rollen. Zie je dat niet?'

'Zoek liever zelf een vriend dan die van een ander af te pikken,' zei mijn moeder. Ze draaide zich om en liep weer naar haar tafeltje. Ze was boos, en John praatte tegen haar. Hij legde zijn hand op haar bovenarm, maar die schudde ze af. Ze draaide zich om en keek om zich heen naar de ober. Wij doken weg achter de muur en trokken onze capuchons over onze ogen. Even later zagen we haar en John het restaurant verlaten.

Andrea betaalde, en liep naar ons toe.

'Ik heb mijn best gedaan,' zei ze. En ze liet me het briefje lezen:

'Jammer dat je moeder niet zag hoe hij zat te flirten,' zei ze. En ze gaf me de twintig euro terug. 'Je hoeft niet te betalen, want de missie is mislukt.'

'Misschien dat je moeder er thuis toch over na gaat denken,' zei Marije.

'Vooral als jij zegt dat je John met een vrouw hebt gezien,' zei Sanne.

'Ik kan het proberen,' zei ik. Maar ik kende mijn moeder. Ze was zo naïef als een kind. Ze vertrouwde John. Nee, er moest meer gebeuren om haar van mijn losbandige meester los te wrikken.

12. Roxanne (2)

'O, wat ben je mooi, lalalalalala, o wat ben je mooi! Dat heb ik in jaren niet gezien, zo mooi, zo mooi!'zong mijn moeder tijdens de afwas. Ze kan niet zingen. Het liefst wilde ik de afdroogdoek over mijn oren knopen om haar niet te horen.

'Je bent wel vrolijk vandaag,' zei ik. 'Een nieuwe pot, pan of kruik gevonden?'

'Nee.'

'Ben ik zo mooi?'

'Jij ben de allermooiste, maar ik dacht nu even aan iemand anders.'

'Meester John.'

'Meester John. Je hebt helemaal niet gevraagd hoe het etentje geweest is. Anders ben je zo nieuwsgierig.'

'Hoe was het etentje, mam?'

'Heel gezellig,' zei mijn moeder. Ze lachte breed. 'Wat een interessante man is die John. Je mag wel blij zijn dat je elke dag les van hem hebt.'

'O, ik ben ook reuzeblij.'

'En hij ziet er goed uit ook nog.'

'Vind je? Zijn ogen staan te dicht bij elkaar. Dat hebben seriemoordenaars ook.'

Mijn moeder keek naar me. 'Zuurpruim! Ik dacht dat je het leuk zou vinden dat John en ik het zo goed met elkaar kunnen vinden.'

'Hij is een vrouwengek, mam. Dat heb ik je toch verteld.'

'Ach welnee. Hij heeft alleen maar oog voor mij. Omdat-ie zo knap is kijken veel vrouwen naar hem.' Ze vertelde over Andrea. 'Ze dringen zich aan hem op!'

'En dat vindt hij geweldig.'

'Natuurlijk. Alle mannen zijn ijdel.'

Mijn moeder ging door met de afwas. 'O Johnnie, zing een liedje voor mij alleen,' hief ze aan.

Ik moest weer ingrijpen.

Op mijn kamer belde ik Roxanne.

'*Holy shit!*' zei ze, toen ik klaar was met mijn verhaal. 'Je hebt hulp nodig. Kom morgen na school naar me toe.'

'Bedankt Roxanne.'

De volgende dag fietste ik naar Roxanne. Onderweg kocht ik bij een kruidenier een doos chocolaatjes. Het ging wel weer van mijn spaargeld af voor de reis naar Australië. Maar daar was niets aan te doen.

Ik zette mijn fiets neer voor een hoge flat. Op de elfde verdieping moest ik zijn. Ik stapte in de lift en boven, in het halletje, stond Roxanne al op me te wachten.

'Voor jou!' Ik gaf haar de chocola.

'Lekker, bedankt! Ik hoop dat ik iets voor je kan doen. Ik heb een plan. Kom binnen.'

De flat was groot. Je kon over de hele stad kijken. Ik nam een foto. 'Mooi uitzicht! Je vader kan toch niet plotseling thuiskomen?' vroeg ik.

'Hij heeft een vergadering.'

Ik liep achter Roxanne aan naar de werkkamer van meester John.

'We gaan zijn bureau doorzoeken. Jij de kastjes links, en ik rechts.'

'Waar moet ik naar zoeken?'

'Liefdesbrieven.'

Meester John was een slordige man. De laden puilden uit van de papieren, enveloppen, pennen, aansluitingskabels voor computers, schriften, briefpapier en bakjes met punaises, inktpatronen en postzegels. Maar geen liefdesbrief te vinden.

Op het bureau lag ook een stapel. Dat waren rekeningen, brieven van de gemeente, verslagen van vergaderingen en afrekeningen van het gas en licht.

'Hier niks,' zei ik.

'Hier ook niet.' Roxanne ging op de bureaustoel zitten en zette de computer aan. 'We gaan zijn e-mail bekijken.'

De computer wilde weten wat de loginnaam was en het wachtwoord.

'Holy shit,'zei Roxanne weer. 'We moeten diep nadenken. Mijn vader heeft weinig fantasie. Hij gebruikt vast zijn eigen naam.'

Ze typte John en daarna John de Bruin. Toen J.H. de Bruin. Dat werkte. De loginnaam hadden we makkelijk gevonden, maar zou het wachtwoord ook zo makkelijk gaan?

Roxanne typte Roxanne in. Geen succes. 'Dat valt me nou toch tegen van pappie!'

'Wat zijn zijn hobby's?' vroeg ik.

'Behalve vrouwen versieren, zwemmen.' Roxanne typte zwemmen in, en daarna fitness en voetbal. Niets.

'Misschien iets met school?' vroeg ik.

Roxanne probeerde:

school
schoolgebouw
Zuiderparkschool
Zuiderpark
Theo Thijssen (Dat was mijn idee)
Kees de jongen (Dat ook)
vergadering
schoolboeken
leerboeken
detectives (Want die leest hij graag)
onderwijzer
leraren
leerlingen
schoolbel
rapporten
schoolhoofd

Roxanne zei: 'Ik heb chocola nodig. Mijn krachten begeven het.'

'Wat je zei over vrouwen versieren,' zei ik opeens. 'Don Juan?'

Don Juan. Fout.

'Casanova?'

Casanova.

'Yes!' riep Roxanne.

De computer startte op en Roxanne opende het e-mailprogramma. De e-mails stroomden binnen.

Roxanne klikte ze één voor één aan.

Ik schaamde me wel een beetje dat we zo brutaal in de privémail van de meester loerden. Toch was het voor een goed doel: mijn moeder.

Veel mails gingen over schooldingen, er waren berichten van mannen, maar de meeste berichten waren van vrouwen.

Er waren ook een paar van mijn moeder. 'Die lezen we niet!' zei ik.

'Oké.'

Een vrouw schreef:

Lieve John. Wat kun je goed koken! (Andere dingen ook trouwens. Haha). Kom je ook eens van mijn kookkunst genieten?
Doei, Hélène.

'Die printen we uit,' zei Roxanne. 'Nog eens even verder kijken. Anita Grongrijp.'

Hoi John! Ik heb een lange, saaie dag op kantoor achter de rug. Gelukkig kon ik af en toe ontsnappen door aan jou te denken. Ik ben helemaal opgeknapt van de lange strandwandeling.

Heb je dit weekend nog plannen? Ik zou graag in de bossen gaan wandelen, en daarna iets eten. En dan zien we wel wat er gebeurt...

'Wat heeft Lola te vertellen?' vroeg Roxanne zich af.

Dear John. Wish you were here. Call me. Your Lola.

'Dat lijkt me wel genoeg,' zei ik. Ik zag dat Roxanne een rood hoofd kreeg.

Ze klemde haar lippen op elkaar en printte de e-mails uit. Ze gaf ze aan me. 'Voor je moeder. Ik hoop dat ze niet te erg van slag raakt.'

'Wie raakt er niet te erg van slag?' Meester John stond in de kamer.

'Hé pap, ben je er nu al?'

'Wat doe je met mijn computer?'

'Gewoon, even internetten met Rosa.'

Ik hield de e-mails achter mijn rug, maar meester John keek niet naar mij. Hij zag nog net de mail van Lola, voordat Roxanne het programma afsloot.

'Holy shit!' riep hij, net als zijn dochter.

'Pa, ik ben diep teleurgesteld in je, en Rosa ook. Je gaat met een heleboel vrouwen tegelijk uit, ook de moeder van Rosa.'

'Dat is helemaal niet waar!'zei meester John, met net zo'n rood hoofd als zijn dochter.

'Vier vrouwen, en misschien nog wel meer sturen je e-mailtjes,' zei Roxanne. 'Ik heb het toch zelf gezien? Je moet naar een kliniek om van je vrouwenverslaving af te komen.'

'Ik ga met vrouwen uit. Gewoon, als vrienden.'

'Jaja,' zei Roxanne. 'Wat ben jij voor rolmodel voor mij? Later ga ik ook allemaal casanova's uitzoeken om mee te trouwen en dan word ik erg ongelukkig. Of dacht je daar niet aan?'

Meester John sloeg zijn armen om Roxanne heen. 'Maak je nou maar geen zorgen. Ik geniet gewoon een beetje van mijn vrijheid. Dat heb ik je toch verteld?'

'Mijn moeder zoekt een man die er alleen voor haar is,' zei ik. 'Die niet ook met Lola en Anita en Hélène uitgaat! Die niet zit te flirten in Lucky Cat!' Ik zwaaide met de papieren.

Meester John pakte de mails en bekeek ze. 'Ga je die aan je moeder laten zien?'

'Ja, als jij het niet met haar uitmaakt! Vandaag nog!'

'Ik heb een heel goede band met je moeder. Laat haar die mails niet lezen, alsjeblieft.'

'Ik kan er ook mee naar de schoolinspectie gaan!'

Aan de gezichten van meester John en zijn dochter kon ik zien dat ze dat allebei niet wilden.

'Ik maak het uit met je moeder,' zei meester John.

'Vandaag nog!'

'Vandaag nog, Rosa. Tevreden?'

'Ja.' Ik griste de mails uit zijn hand. 'Ik neem ze mee voor de zekerheid. Als je mijn moeder hebt gebeld, zal ik ze verbranden.'

'Wees maar niet bang, ik zal het doen,' zei meester John. 'Willen jullie nog wat drinken, voor de schrik? Ik wel.'

Even later zaten we voor het grote raam, dronken thee en aten chocola. Meester John was weer helemaal zijn gezellige zelf. Wat jammer toch dat hij aan vrouwenverslaving leed. Anders was hij de perfecte man geweest voor mijn moeder.

13. Piet (2)

De volgende dagen was mijn moeder in een erg slecht humeur. John moest het hebben uitgemaakt, maar als ik vroeg: 'Hoe is het met John?' snauwde ze: 'Ik wil nooit meer over hem praten. Nooit! Begrijp je dat?'

'Is het uit?' vroeg ik.

'Wat dacht je zelf?' Ze smeet de kamerdeur met een harde klap achter zich dicht.

Ik had nog willen zeggen dat het beter was dat het nu uitging dan over een jaar, maar besloot mijn wijze gedachte voor me te houden.

Omdat er in huis dus een onaangename sfeer heerste, ging ik voor de gezelligheid Piet opzoeken. Hij zat aan de kade te vissen.

'*Long time no see*,' zei hij. 'Wat is er aan de hand?'

'Ik zal je een update geven.' Ik vertelde hem het hele verhaal, behalve dat ik alles bijhield voor mijn dossier.

'Ik snap niet dat ze mij en Roxanne niet geloofde toen we zeiden dat hij een versierder was.'

'Misschien wilde ze dat niet zien. Soms kunnen mensen blind zijn.'

'En wat ik ook niet snap is dat ze zo over John treurt, Piet. Hoe lang kent ze die man nou helemaal?'

'Ze was misschien halsoverkop verliefd geworden?'

'Zou kunnen.'

We staarden naar de dobber. Ze wilden niet bijten, de vissen. Dat deed me een beetje aan mijn moeders liefdesleven denken. En aan mijn eigen gevis naar Jesse.

'Was jij ook zo verliefd op Marie, Piet?'

'O meid, breek me de bek niet open. Het liefst wilde ik de hele dag een rode loper voor haar uitleggen. Maar ze zag me niet staan.'

'Ja, dat ken ik,' zei ik met een diepe zucht.

'Vertel!' zei Piet.

'Het is privé.'

'Nou en?'

'Wil je 't echt weten?'

'Je hoeft het me niet te vertellen.'

'Hij heet Jesse.'

Ik was een uur bezig om te beschrijven hoe bijzonder Jesse was. 'Maar hij ziet me niet staan. Dus hoe deed jij dat, met Marie?'

'Ik ging gewoon door met Marie uit te vragen, complimentjes te geven en cadeautjes voor haar mee te nemen. En op een dag ging ze overstag. Maar dat kan jij niet doen. Het initiatief moet van de man uitgaan.'

'Dat is ouderwets!'

'Ik ben ook ouderwets. En nog iets: de liefde moet van twee kanten komen.'

'Als jij toen niet had doorgezet, was Marie met een ander getrouwd,' zei ik. 'Je kan goede raad geven, Piet, maar tegenwoordig is het helemaal niks waard.'

'Wat wil je dan doen? Hem een liefdesbrief schrijven?'

'Hoe doe je dat?'

'Nou gewoon, je schrijft dat je verkikkerd op hem bent.'

'Nee, dat durf ik niet. Die laat hij aan de hele familie zien en dan lachen ze me allemaal uit.'

'Vraag dan eens of hij een eindje met je gaat wandelen. Een ijsje eten of zo.'

'Ik ben toch geen kind meer!'

'Laat het dan maar even betijen,' zei Piet. 'Als jullie echt bij elkaar passen, als het echte liefde is, dan komt het vanzelf wel.'

'Straks pikt een of andere griet hem in,' zei ik somber. 'Heb ik het nakijken.'

'Hij zal heus wel zien hoe bijzonder je bent,' zei Piet. 'En als hij dat niet ziet is hij geen knip voor zijn neus waard.'

'Vind je me bijzonder? Hoezo?'

'Je bent gewoon bijzonder. Punt uit.'

Zwijgend zaten we naast elkaar naar de dobber te kijken. Piet zei nooit zomaar iets, zo was hij niet. Dus als hij zei dat hij me bijzonder vond, dan meende hij dat ook. Ik glimlachte zomaar, een beetje gek was dat, dus ik trok gauw weer een gewoon gezicht.

Zou Jesse dat ook zien, van dat bijzondere?

Toen ik weer thuiskwam keek mijn moeder een stuk vrolijker.

Ze floot een liedje tijdens het koken. Ze ging spaghetti maken, lekker.

Ik roerde in de tomatensaus.

'Gaat het weer een beetje met je, mam?'

Ze sloeg haar arm om me heen en knuffelde me. 'Wat ben je toch een heerlijk kind. Het spijt me dat ik in zo'n rothumeur was. Sorry meid.'

Heerlijk en bijzonder, het kon niet op vandaag. Ik keek even in de spiegel, maar ik zag er net zo uit als anders.

Aan tafel zei mijn moeder: 'Micky belde. Ik zei eerst dat ik een pauze wilde, dat ik niet toe was aan weer een vent. Maar ze wist me over te halen om James te ontmoeten. Hij ziet er niet gek uit op de foto.'

'Heeft hij kinderen?'

'Nee. Zaterdag hebben we een afspraak.'

'Ik ben benieuwd!'

'Je hoort het als eerste.'

Mama was voorlopig weer gelukkig, maar nu moest ik zelf gelukkig worden.

Ik moest steeds maar aan die liefdesbrief denken. Een liefdes e-mail zou moderner zijn, maar dan kon hij zien dat ik het was.

In mijn bureautje vond ik postpapier. Het zag er gewoon uit, niet kinderachtig met beertjes of bloemetjes. Ik gebruikte het om oma in Spanje een brief te schrijven om haar te bedanken voor cadeautjes. De poppen in Spaanse klederdracht en de castagnetten kwamen mijn neus uit. Ik kon toch moeilijk schrijven dat ik ze allemaal lelijk vond, want dat was niet beleefd. Dus dacht ze dat ik er blij mee was en bleef ze me poppen en castagnetten sturen.

Ik pakte een pen en schreef met vreemde letters (Sanne kende mijn handschrift, en als hij haar de brief liet zien was het mis):

Lieve Jesse.
Ik vind je heel leuk, maar dat durf ik niet te zeggen. Ik wacht tot jij me ook ziet staan. En ik hoop dat dat een beetje gauw gebeurt.

Die laatste zin was niet goed. Ik pakte een nieuw vel papier.

Ik wacht tot jij me ook ziet staan. Dan pas vertel ik je dat ik deze brief heb gestuurd.
Dag! Een onbekende aanbidster...

Aanbidster vond ik een mooi woord, en het gaf aan dat het geen jongen was die hem schreef.

Uit mijn moeders bureaula haalde ik een postzegel. Ik schreef Jesses adres op de envelop en rende meteen naar buiten om de brief op de bus te doen.

Als dit plan lukte, zou ik er een stukje voor *De Bazuin* over schrijven. Wie weet hoeveel verliefde meisjes mij wel niet dankbaar zouden zijn!

14. Jesse (2)

Ik wachtte drie lange dagen. Jesse moest mijn brief nu wel hebben gekregen. Zou hij op zoek gaan naar de schrijfster?

Ik belde Sanne en vertelde haar over mijn brief.

'Je bent wel wanhopig, hè?' vroeg ze.

'Ik moet toch iets doen? Jij komt ook niet met briljante ideeën.'

'Ik ben geen tovenaar!'

'Heeft hij die brief gekregen?' vroeg ik.

'Ja, en hij heeft hem aan ons laten zien. "Wat moet ik daar nou mee?" vroeg hij. "Niks," zei mijn moeder, "Je kan niet antwoorden. Gewoon afwachten."

"Ik heb nog nooit een brief gekregen van een aanbidster," zei mijn vader. "En nu ben ik te oud. Het is niet eerlijk."

"Misschien is hij wel van Mira," zei Jesse. Mira zit een klas hoger, en ze schijnt erg mooi te zijn. Ik zou dat hele brievengedoe maar vergeten. Help je moeder liever met het vinden van een vriend.'

'Dat doet Micky al. Ik maak er een dossier over. *Dossier Mama verliefd*. Dan word ik beroemd en dan ben je reuzeblij en vereerd dat jij mijn vriendin bent.'

Sanne lachte. 'Dat ben ik al! Zal ik naar je toekomen? Dan gaan we iets leuks doen.'

'Ik kom wel naar jou toe.'

'Jesse is er niet.'

'O, kom dan maar naar mij.'

'Ik kom zo!' Ze verbrak de verbinding.

Ik ging achter de computer zitten en zocht naar het recept voor een liefdesdrank.

Dat zou nuttig zijn voor mijn moeder én mezelf.

Het was een heel gezoek, maar eindelijk vond ik een betrouwbare heksensite.

Er moesten veel ingrediënten in zo'n drank, we zouden naar de markt moeten gaan om die kruiden te kopen.

Sanne vond het allemaal onzin. 'Je denkt toch niet dat zoiets echt werkt?'

'Dat weet ik toch niet? We moeten het uitproberen.'

Van mijn moeder mochten we naar de markt, die vlak bij ons huis was.

'Het is een drank om slim van te worden,' zei ik tegen haar. Ze wilde eerst de lijst van ingrediënten zien, en toen kreeg ik wat geld om de spullen te kopen.

'Salie, kaneel en suiker heb ik zelf,' zei ze.

We kwamen na een uurtje met de kruiden terug. Ik zette een pan op het gas en gooide er een liter water in. Daarna de kruiden. Dat moest drie uur sudderen. Mama zou opletten, en wij gingen naar mijn kamer om een spelletje te spelen en naar muziek te luisteren.

Na drie uur riep mama ons. We renden de trap af. De liefdesdrank was bijna klaar.

Eerst moesten we zeven door een dunne theedoek, en het groenbruine water dat we overhielden was de drank. Hij rook niet lekker en smaakte allerafgrijselijkst. Naar modder en kikkers.

We proefden alle drie, en spuwden het uit.

'Je moet er wat voor over hebben om slim te zijn,' zei mama met een brede grijns.

'Neem jij nog een slokje, mam?'

Mama schudde haar hoofd. 'Ik denk er niet aan. Ik ben al slim genoeg.'

'Je wilt toch directeur van het museum worden?'

'Ik hoef alleen maar te wachten tot de directeur met pensioen gaat.'

'Ja, maar die collega van jou, met die lange witte baard, is dat geen concurrent?'

'Hou op met dat gemier en ga weg met die lepel. Ik neem geen slok meer van dat onzinvergif. Blijf je eten, Sanne?'

'Graag, moeder van Rosa.'

We lachten. Dat zei Sanne vroeger altijd, toen ze nog een klein kind was.

Mama liep de keuken uit.

Ik goot een schoongemaakt jampotje vol, en gaf dat aan Sanne.

'Een eetlepel per dag,' fluisterde ik. 'Morgen beginnen, want dan neemt de maan toe. Dan werkt het het best, dat heb ik op internet gelezen.'

'Waar moet ik dat in doen? In thee proef je dat zo,' fluisterde Sanne.

'Als je er flink wat suiker en melk in doet vast niet. En drinkt hij geen chocolademelk?'

'Hij drinkt van dat zoete vruchtensap, daar doe ik het wel in.'

'Volgens de Heksen & Co-site moet ik erbij zijn. Dus als hij dat drankje drinkt, moet hij mijn gezicht zien.'

'Ik weet niet precies wanneer hij thuiskomt. En ik moet morgen zwemmen.'

'In noodgevallen kan een foto ook...'

''t Is goed met je,' zei Sanne. 'Ik ben al gek dat ik zoiets doe, ik ga niet ook nog eens met je foto wapperen.'

'Je kunt wel over me praten.'

'Ja, en daar zeg ik dan abracadabra bij. Oké?'

'Wat zijn jullie aan het smoezen?' riep mama vanuit de kamer. 'Lukt het al een beetje met de intelligentie?'

'Ja mam!'

'Een slimme meid is op haar toekomst voorbereid!' riep ze.

'Dat ben ik, mama, echt waar!'

15. James (1)

Volgens de heksensite moest je het tovermiddel zeven dagen innemen. Ik wilde als een gevangene de dagen op mijn muur met streepjes wegkrassen, maar wist me te beheersen.

Sanne meldde dat het haar lukte om de drank in Jesses vruchtensap te gooien, en één keer in de koffie. Die had hij wel opgedronken, maar hij had gezegd dat de koffie smerig smaakte.

'Hij went er al helemaal aan dat ik hem bedien,' zei Sanne. 'Maar na een week kan hij weer alles zelf doen! Hoe is het met je moeder en haar mannen?'

Ik zat met mijn mobiel op bed. De deur was dicht, mama kon niet horen dat ik over haar praatte.

'Ik hoef dat spul voor haar niet te gebruiken. Ze zegt dat ze nu eindelijk een goeie man heeft gevonden,' zei ik. 'Een man op wie niets aan te merken valt. Mr. Perfect. Hij heet James, en zijn ouders zijn Engels. Hij doet iets bij een bank.'

'Hoe ziet Mr. Perfect eruit?'

'Dat weet ik niet. Ik zie hem straks als hij komt eten.'

'Ik zal duimen dat het wat wordt.'

'Ik ook.' En terwijl ik dat zei voelde ik dat ik het meende. Ik gunde mijn moeder een nieuwe man. Al moest ik hem natuurlijk ook zien zitten.

'Vergeet je Jesses drankje niet?'

'NEE!'

'Kunnen we geen kennismakingsbureau voor kinderen opzetten?' vroeg ik. 'Dat is toch veel makkelijker dan in het echte leven? Moet je mij nou zien tobben met Jesse. Als ik hem door zo'n bureau kon ontmoeten, maakten we gewoon een afspraak. Geen moeilijk gedoe. Ik zie een gat in de markt.'

'Kinderen hebben toch geen geld voor zo'n bureau?'

'Ze hebben toch ook geld voor mobieltjes en cd's? En denk aan de ouders! Die zullen dolblij zijn dat wij de boel in de gaten houden. Nee, die ouders betalen wel.'

'Ik help het je hopen,' zei Sanne. Ik hoorde aan haar stem dat ze het plan niet serieus nam. Nou, dan schakelde ik Roxanne wel in. De rijkdom ging aan Sanne's neus voorbij. De roem ook. En Jesse kon niet meer om me heen als ik dagelijks in talkshows optrad. Maar eerst *De Bazuin*!

Ik schreef een stukje over het kennismakingsbureau voor de kinderpagina. Dat printte ik uit. Een exemplaar stopte ik in een envelop, en exemplaar twee kwam in mijn dossier. Dat werd al behoorlijk dik.

Tevreden kleedde ik me aan.

Mama had er veel werk van gemaakt. Op tafel lag het keurig gestreken kleed met geborduurde veldbloemen dat nog van oma was geweest. De borden, de messen, de lepels en de vorken glommen. Er stond een vaas gele rozen op tafel.

'Mooi, mam!'

'Dank je, schat.'

'Je ziet er zelf ook mooi uit.'

'Wat ben je complimenteus! Maar denk eraan, ik wil niet dat je gaat schrijven over mij en James!'

'Nee mam.' Ik zou hierover nu geen stukje voor *De Bazuin* schrijven. Dat kon altijd later, als mama veilig getrouwd was.

Mama droeg een korte grijze rok en een roze truitje. Ze had haar zwarte schoenen met hakjes aan. Ik begreep dat het bezoek van Mr. Perfect ook perfect moest worden.

Het was een veilig idee dat ik nog wat van de liefdesdrank achter de hand had. Als mama Mr. Perfect wou, kon ik wat van de drank in zijn glas doen. Een hele scheut, want ik kon hem natuurlijk niet zeven dagen gaan volgen.

Precies om zes uur ging de bel. Mama liep naar de deur.

'O, dank je wel, James!' hoorde ik haar zeggen.

Met een groot boeket bloemen liep ze de kamer in. Achter haar aan kwam een man in een zwart pak met grijze streepjes.

'Jij moet Rosa zijn!'

'Ja meneer.'

'Zeg maar James. Ik kom net van mijn werk, daarom heb ik mijn keurige kantoorpak nog aan.'

James gaf me een hand. Zijn nagels waren netjes geveild. Hij had donkerbruin haar met links een scheiding. Zijn ogen waren groenbruin, en toen hij lachte zag ik dat hij rechte, witte tanden had.

'Wilt u wat drinken, James?' vroeg ik.

'Zeg maar je. Ja, graag een glaasje wijn.'

'Rood of wit? We eten vis, dus wit past daar beter bij,' zei ik. Ik wist niet dat ik zo'n keurig kind kon zijn. Mijn vader zou er hard om moeten lachen.

'Dan wit graag, Rosa.'

In de keuken schonk ik de wijn in. In de witte wijn kon ik geen modderige toverdrank doen. Mama zette de bloemen in het water. Ze siste: 'Hoe vind je hem?'

Ik stak mijn duim omhoog. 'Jij ook witte wijn?'

'Doe maar.'

Mama zette de bloemen van James op tafel (de gele rozen verdwenen in de brede vensterbank) en ging naast hem op de bank zitten.

'Proost!' zei James.

'Proost!' zeiden mama en ik. We klonken met de wijn en mijn vruchtensap.

'Ik heb ook iets voor jou, Rosa,' zei James. Hij gaf me een pakje. Ik scheurde het pakpapier er niet af, zoals anders, maar haalde het er netjes af, zodat je het nog eens een keer zou kunnen gebruiken (maar wie deed zoiets?).

In mijn handen hield ik een boek. Het was een verzamelbundel met columns uit de krant, geschreven door een beroemde journalist. Ik kende haar naam omdat ze ook in *De Bazuin* schreef.

'Je wilt toch zo graag journalist worden?' zei James. 'Het kan geen kwaad om eens te kijken wat de concurrentie uitspookt.'

'Heel leerzaam,' zei mama.

'Dank je wel!' Ik was verrast dat hij onthouden had wat mama hem kennelijk had verteld over mij. Zo verrast dat ik hem een zoen gaf op zijn glad geschoren wang. James en mama lachten. Met een rood hoofd ging ik weer zitten.

'Ik heb *Kees de jongen* nog eens herlezen. Wat een onvergetelijk boek is dat,' zei James. 'Ik kan me heel goed voorstellen dat je je dochter Rosa hebt genoemd. Het is trouwens ook nog eens een heel mooie naam.'

'Heb jij kinderen, James?' vroeg ik.

'Nee, helaas niet. Ik ben wel getrouwd geweest, tien jaar, maar mijn vrouw wilde geen kinderen.'

'Waarom niet?'

'Rosa!'

'O, dat mag ze best weten,' zei James. 'Alide kon het werk niet combineren met het moederschap. En ik wilde ook niet stoppen met werken bij mijn bank, dus vandaar. Maar ik wil nu wel eens wat over jou weten, Rosa. Heb je veel vriendinnen?'

Ik begon over Sanne te vertellen. Veel te veel, ik praatte maar door, maar James vroeg me steeds iets en hij luisterde goed. Grote mensen luisteren nooit of met een half oor naar kinderen, maar hij deed dat wel. En hij behandelde me als een groot mens. Het scheelde niet veel of ik had hem alles over Jesse verteld.

Gelukkig kwam mama met de courgettesoep met kruidenkaas en stokbrood.

Daarna aten we gegrilde zalm, gebakken krieltjes en wilde spinazie.

'Wat een verrukkelijke maaltijd,' zei James. 'Je kunt voortreffelijk koken, Els.'

Mijn moeder lachte van oor tot oor, net als de Cheshire Cat.

We aten bosbessenijs met bosbessen na. Ik goot een lepel toverdrank in de bosbessensaus en maakte het netjes af met een toefje slagroom.

'Heerlijk!' zei James. Hij proefde de toverdrank dus niet!

'Hou je ook zoveel van ijs, Rosa?' vroeg James.

'Mama en ik zijn er dol op.'

'Ik zal eens een dame blanche voor jullie maken.'

'Waar woon je?' vroeg ik.

James noemde een straat in het chique deel van Zuid. 'Het is maar een simpel appartement,' zei hij.

Mama maakte koffie, en zette een schaaltje bonbons op tafel. Met bolle wangen zaten we te kauwen.

'Houden jullie net zoveel van bonbons als van ijs?' vroeg James.

'Ja!' riepen we. Ik was zo enthousiast dat ik een stukje chocola uitspuwde. Het kwam op de kraag van James' witte overhemd terecht.

James moest er om lachen. Met een papieren zakdoekje maakte mama James' kraag schoon.

'Geeft niks,' zei James. 'Nu heb ik een aandenken aan Rosa.

Gaan jullie mee, een stukje rijden? Mijn auto staat voor de deur. We zijn zo bij de zee.'

'Ja!' riep ik weer. Het was mama's date, maar James had ook mij gevraagd. Ze konden nog vaak genoeg naar het strand met z'n tweeën.

'Neem je badpak mee,' zei James. 'Het water is heerlijk, en het is zo fijn om te zwemmen als de zon ondergaat.'

Ik wist niet hoe snel ik mijn spullen moest pakken. Mama vond het ook leuk, dat zag ik aan haar gezicht.

Ik zat achter in de grote auto, die naar nieuw leer rook, en ik was tevreden. Ik zwaaide naar Piet, die aan de kade zat met zijn hengel. Hij zwaaide terug.

We aten nog meer ijs in een strandtent, zwommen in zee terwijl de zon onderging en dat was geweldig.

Toen zei mama dat we echt naar huis moesten. 'Rosa moet naar school en het is al laat.'

'Doen we het nog een keer?' vroeg James.

'Yes!'

Mama lachte.

Toen ik me aankleedde, luisterde ik naar de stemmen van James en mama.

Ze klonken zacht en vriendelijk samen. Zouden ze elkaar kussen?

Mijn liefdesdrank werkte!

16. Jesse (3)

'Hebben jullie al gezoend?' vroeg ik een paar dagen later aan mama.

'Dat gaat je niks aan.'

'Ja dus.'

'Drie kussen, op de wangen.'

'Dat is geen echte zoen. Wanneer zie je hem weer?'

'We hebben binnenkort een afspraak.'

'Hij is leuk, mam!'

'Vind ik ook,' zei mijn moeder. 'Maar na een paar afspraken weet ik nog niet wat voor vlees ik in de kuip heb.'

'Prima vlees. Eerste klas vlees. Biologisch goedgekeurd vlees!'

'Dat doet me eraan denken dat je nog boodschappen voor me zou doen.'

Mijn moeder gaf me een boodschappenlijstje en geld. Ik pakte een tas en liep de straat op. We zouden macaroni eten, met ham en kaas; dat wilde ik graag.

Bij de muziekwinkel keek ik naar binnen. Wat een mooie gitaren! Ik wilde ook wel in een band spelen en zingen, maar zou dat te combineren zijn met mijn werk als journalist?

In mijn vrije tijd misschien.

Er liepen twee mensen in de winkel. Ik schrok. Eén van hen was Jesse. Dat ik dat nu pas zag!

Ik liep naar de deur en duwde hem open. Zou Sanne er ook zijn? Of haar ouders?

Ik zag hen niet.

Jesse keek me verbaasd aan toen ik aarzelend naar binnen stapte. 'Hé, Rosa!'

'Ha Jesse. Is Sanne er ook?'

'Nee, die is thuis,' zei Jesse. 'Misschien kun je me helpen.'

De verkoper keek me kil aan.

'Het vriendinnetje van mijn zusje,' zei Jesse. 'Rosa.'

'Dag Rosa.'

'Dag meneer.'

'Ik wil een drumstel,' zei Jesse. 'Maar ik weet niet welke ik moet kiezen.'

Ik zei maar niet dat ik geen verstand van drumstellen had. Het was al heel wat dat hij me vroeg hem te helpen. Dat zou de invloed van de liefdesdrank wel zijn.

'Misschien kan meneer beter zijn ouders meenemen?' vroeg de verkoper.

'Ze zeiden dat ik me vast moest oriënteren,' zei Jesse. 'Ik vind deze wel wat.'

Ik schrok van de prijs. Jesse zag er in zijn slobberige spijkerbroek en sweatshirt niet uit alsof hij dat bedrag meteen kon ophoesten.

'U kunt het proberen,' zei de verkoper. Hij wilde ons allebei weg hebben, maar dat durfde hij niet te zeggen.

Jesse ging achter een van de drumstellen zitten. Hij pakte twee drumstokjes en begon te drummen. Eerst zacht, toen steeds vlugger en harder. Het leek wel of er vijf Jesses zaten, zo snel was hij.

Plotseling stopte hij, en veegde met een mouw het zweet van zijn voorhoofd. Hij lachte. 'Geen gek ding. Wat vind jij, Rosa?'

'Fantastisch! Waar heb je dat geleerd?'

'Op de muziekschool. Maar nu wil ik er zelf één.'

'Je kunt zo in een band,' zei ik.

Jesse aaide over een trommel. 'Mooi. Maar een beetje duur.'

'Deze prijscategorie is beter voor meneer?' vroeg de verkoper.

Hij wees naar een kleiner drumstel.

'Nee, dat is niks,' zei Jesse. 'Die daar.'

'Die scheelt niet veel in prijs met de eerste,' zei de verkoper.

'Mijn ouders willen dat ik er één van Marktplaats haal,' zei Jesse. 'Ze zijn bang dat het een bevlieging is. Maar ik wil geen oude troep van een ander.'

'Wij hebben toevallig een voortreffelijk tweedehands drumstel in de verkoop,' zei de verkoper. 'Wilt u dat eens zien?'

'Een goed idee,' zei ik. Sanne's ouders zijn niet arm, maar zo'n drumstel was erg duur. En als ze gezegd hadden dat het misschien een bevlieging was...

Jesse keek knorrig, maar hij volgde de verkoper naar een drumstel achter in de zaak.

'Lijkt me niks,' mompelde hij.

'Probeer het nou eens,' zei ik. De verkoper keek wat vriendelijker naar me.

Jesse ging achter het drumstel zitten, en liet de stokjes op alle trommels en schalen neerdalen. Ik hoorde geen verschil met de duurdere versie. Wat een ongelofelijke herrie.

Arme Sanne, arme ouders. Zo groot is hun huis niet, en een aparte garage of kelder hebben ze ook al niet. Maar Jesse zag er heel sexy uit als hij speelde.

Hij stopte. 'Klinkt een stuk minder.'

'Ik vond het ook niks,' zei ik.

De verkoper keek me verbaasd aan. 'Dit is anders een hele goeie Valparaiso. Doet niet onder voor degene die u net hoorde.'

'Die vond ik ook niet zo goed.'

Nu keek Jesse ook verbaasd.

'Was die eerste de beste die u in huis heeft?' vroeg ik.

'Nee, dat is de Royal Dutchman Senior,' zei de verkoper.

'Die wil ik proberen. Waar staat hij?' vroeg Jesse.

De verkoper zuchtte.

Hij ging ons voor naar een knaap van een drumstel. Jesses ogen glansden, en hij lachte. Keek hij maar eens zo naar mij! Zo te zien had hij bij het innemen van de toverdrank naar een drumstel gekeken.

'Mag ik deze proberen?' vroeg hij met ontzag.

'Natuurlijk meneer,' zei de verkoper stijf.

De volgende vijf minuten (of waren het er tien?) leefde Jesse zich uit op het drumstel. Zweet spatte in het rond. Hij gaf de drums ervan langs zodat het leek alsof de winkel schudde.

'Poehee,' zei Jesse, toen hij eindelijk stopte. 'Deze wil ik en geen andere. Dat vind jij toch ook, Rosa?'

'Nee,' zei ik. 'Het klinkt wel aardig, hoor, maar ik denk dat je nog een beter drumstel nodig hebt.'

'Dat is er niet,' zei de verkoper.

'Vast wel,' zei ik.

'Bij die andere zei je nog fantastisch,' zei Jesse.

'Ik bedoelde dat je fantastisch speelt. Maar je moet echt het allerbeste, allerduurste drumstel hebben. Anders kunnen mensen niet horen hoe geweldig je bent.'

De verkoper zweeg. Jesse klom achter het drumstel vandaan. 'Ja, dan weet ik het ook niet meer.'

'Ik zou sparen voor het allerbeste drumstel ter wereld,' zei ik. 'Met minder moet jij geen genoegen nemen, Jesse Dijkstra!'

'Zo heb ik het nog niet bekeken,' mompelde Jesse. 'Als ik nou twee krantenwijken neem, nee drie...'

'Jij verdient alleen het beste. Het neusje van de zalm van de drumstellen. Heb je al in andere winkels gekeken?'

'Nee.'

'Ik ga graag met je mee.'

De verkoper hield de deur voor ons open en knikte. 'Dame, heer.'

'Dag meneer,' zei ik beleefd.

Jesse stond buiten. Hij krabde op zijn hoofd. 'Dus jij denkt... och, je hebt eigenlijk ook gelijk. Ik ben een goeie drummer en ik heb goed gereedschap nodig.'

'Zo is het maar net. Laat je nooit, nóóit een goedkoop ding aansmeren. Nou, ik moet naar de supermarkt. Dag Jesse.'

'Bedankt Rosa!'

Met rechte rug liep ik weg. Ik had zin om te huppelen. Zo'n duur drumstel, daarvoor zou Jesse jaren moeten sparen. En dan was er vast wel weer iets anders wat hij wilde, een saxofoon misschien, of een tuba.

Zijn ouders zouden blij zijn. Zij hoefden niet te dokken. Het zou rustig blijven in huis.

En dat kwam allemaal door mijn jaloezie. Want ik zag mijn Jesse al optreden voor een zaal met grote, knappe meisjes.

Ze zouden zich op hem storten, zo aantrekkelijk was hij achter de drums. En waar zou ik dan blijven, de kleine, jonge Rosa, het vriendinnetje van zijn zusje? Ik zag me al in een hoekje in de zaal staan, terwijl de meisjes hem omarmden en kusten. Nee, dat nooit!

17. James (2)

James had ons uitgenodigd in zijn appartement te komen eten.

Chic geklede mensen haastten zich met veel boodschappentassen door de lange straten. Sommigen hadden kleine, dure hondjes bij zich. Eén hondje droeg een geruit dekje.

Wij zagen er ook netjes uit, mama en ik, maar er straalde geen haute couture van ons af.

'Het is hier wel erg netjes,' zei mijn moeder.

'Had je het leuker gevonden als hij in een achterbuurt woonde?'

Mijn moeder had een bos bloemen bij zich en ik belde aan. Zoemend ging de deur open.

We namen de lift naar de vijfde en hoogste verdieping. James stond ons al op te wachten in de hal. Hij gaf mijn moeder drie brave kussen op haar wang en mij een hand.

'Leuk dat jullie er zijn. Kom in mijn simpele woning!'

De flat was enorm. Ik ben niet zo goed in rekenen, maar iets van twintig bij twintig meter was de woonkamer zeker wel. Er stonden een vleugel, rijen boekenkasten, twee wit leren sofa's en een paar heel moderne stoelen. Boven de grote, ronde antieke tafel hing een kroonluchter met echte kaarsen. Ze brandden, al was het buiten licht. Er was een vuurtje in de open haard.

'Terwijl ik kook, kunnen jullie naar een dvd kijken,' zei James. 'Ik heb wat nieuwe films gekocht, en ik hoop dat jullie ze niet allemaal gezien hebben.'

'Ik help je graag met koken,' zei mama.

'Anders ben je niet zo dol op koken, mam!'

'Hoe kom je daar nou bij, gekkie,' zei mijn moeder met een blos op haar wangen.

'Ik kan wel wat hulp gebruiken,' zei James. 'Ik ben een beetje zenuwachtig, want ik ga altijd uit eten. Geen tijd om te koken, dus ik ben er slecht in. Zoek jij maar een dvd uit, Rosa.'

Ik zocht een romantische film uit, en James stopte die in de dvd-speler. Daarna zette hij een schaaltje nootjes naast me neer. 'Ga maar lekker op de bank zitten.'

Ik vleide me op de zachte bank neer als een koningin.

De film over een stel in New York was leuk.

Op de achtergrond hoorde ik mijn moeder en James babbelen in de open keuken.

Er klonk het geluid van pannen en deksels, stromend water en gelach.

Ik stopte het laatste nootje in mijn mond en keek naar hen. Ze zagen er gelukkig en tevreden uit. Het leek er eindelijk op dat dit iets zou worden. Echte liefde bestond dus toch, ook zonder liters toverdrank. Hoe had ik zo stom kunnen zijn daarin te geloven?

Gelukkig dat ik geen stuk over de toverdrank had geschreven voor *De Bazuin*. Iedereen had me uitgelachen. Gelukkig was Jesse me helemaal niet anders gaan bekijken dan anders. Ik gaf de hoop niet op.

'Mijn stiefvader woont in een penthouse aan de Charles de Gaullelaan,' hoorde ik mezelf al zeggen. 'Het is zo groot dat je er makkelijk in kunt verdwalen. Hij is een bankdirecteur. In de zomer gaan we naar zijn ouders in Engeland. Die hebben daar een landgoed en dan gaan we jagen op vossen. Ze hebben paarden en...' Nee, dat jagen liet ik weg. Jesse is vegetarisch.

'Er is personeel, ja, er is zelfs een echte butler.'

Heetten butlers niet altijd James? Misschien waren zijn ouders wel van heel eenvoudige komaf en had James zich met veel moeite omhooggewerkt. Zo'n man was hij wel. Schamen deed hij zich niet voor zijn ouders in hun simpele *cottage*. Maar aan Jesse en mijn klas zou ik vertellen over het landgoed. Ze konden toch niet mee om te controleren of het waar was.

Het begon nu lekker te ruiken in het appartement. Spek, uien, tomaten, knoflook, allerlei kruiden. James goot de pasta af. Mijn moeder schudde aan de koekenpan met de uien en het spek.

Ik keek tevreden verder naar de film. Het paar maakte ruzie, maar dat kwam straks vast wel weer goed.

'*Dinner is served!*' zei James. Hij hield mijn stoel een stukje naar achteren, en als een echte *lady* ging ik zitten. Er waren schalen met pasta, knoflookbrood, gemengde sla, groenten, en geraspte kaas.

'Is het echt kristal?' Ik liet mijn vingertop over de rand van het glas glijden en het maakte een hoog, zoemend geluid.

'Zuiver kristal!' James schonk een beetje wijn in mijn glas.

Hij vulde het bij met water.

'Dat mag toch wel voor een keertje, Els?'

Mijn moeder glimlachte en knikte.

Ik vond de aangelengde wijn niet eens lekker. Te zuur. Maar mama nam een flinke teug. Ze zag er anders uit dan anders. Mooier, vrijer, losser. Niet als iemand die de hele week tussen oude kruiken verstopt zat. Ik kon me heel goed voorstellen dat ze in een glanzend wit pak van een berg af skiede, een zonnebril op haar hoofd en met wapperende haren. En ik slalomde om haar heen. Geld! Alles kon je doen met geld.

Mijn eigen krant oprichten bijvoorbeeld. *Rosa's Journaal* was een mooie titel. Er was geen kinderkrant, dus de abonnees zouden toestromen.

'Zit je te dromen, Rosa?' vroeg James.

'Waar wonen je ouders, James?'

'Mijn ouders woonden in Londen, maar ze zijn allebei overleden.'

'Dus ze hadden geen landhuis?' vroeg ik.

James lachte. 'Nee, maar ze hadden een groot huis in de stad. Ze waren dol op muziek en toneel. Er kwamen vaak vrienden logeren. Dan gingen ze uit, tot diep in de nacht.'

'En lieten jou alleen thuis?'

'Ik had een heel lieve *nanny*. Nanny Margaret is over de negentig, maar ze is bij de pinken. Als ik in Londen ben, zoek ik haar altijd op.'

'Ik ben nog nooit in Londen geweest,' zei ik op zielige toon.

'Ik heb het je vorige zomer voorgesteld, maar je wilde liever naar Euro Disney bij Parijs,' zei mama.

'Londen ken ik alleen maar van films en detectives,' zei ik.

'Je komt er vast nog wel eens,' zei James. Hij schepte pasta en groenten op mijn bord. 'Kun je de kaas zelf raspen? Ik weet niet hoeveel je wilt.'

Ik raspte een berg kaas op mijn bord en schepte het door de pasta. 'Heerlijk!' zei ik met volle mond.

Mama en James lachten. 'Je hebt een grote rode mond, net als een clown,' zei mama.

'Van de tomaten.' James gaf me een linnen servet.

'Nou moet je dat weer wassen,' zei ik. 'Geef me maar papier.'

'Dat doet de werkster wel voor me,' zei James. 'Zit daar maar niet over in.'

We aten alles op, en daarna zette James een bord met tiramisu, room, een bolletje ijs en chocoladesaus voor me neer. Dat was bijna te veel voor me. Ik had ook al een bak nootjes weggewerkt. Maar dit toetje kreeg me er niet onder!

James maakte koffie uit het espressoapparaat in de keuken. Ik hoefde niets meer voorlopig.

Mama en ik zaten naast elkaar op de bank bij de open haard.

'Deze moet je nemen,' fluisterde ik.

'Ik denk er hard over,' fluisterde ze.

'Niet denken, maar doen,' citeerde ik meester John.

James zette de koffie op een bijzettafeltje.

'Niet denken maar doen is een goed gezegde,' zei hij. 'Mensen aarzelen vaak, en dan laten ze de beste kansen voorbijgaan. Zo ben ik niet. Ik maak mijn dromen waar.'

'Hoe dan?' vroeg mijn moeder.

'Ik heb altijd een groot oud zeilschip willen hebben. Maar die zijn niet bepaald goedkoop. Ik heb zo hard gewerkt als ik kon, alle banen nam ik aan als ik maar goed verdiende. Zelfs bij de saaie bank waar ik nog steeds werk. Maar nu heb ik mijn zeilschip: de Fortuna. Wacht, ik laat wat foto's zien.'

James haalde uit een la van een groot bureau een stapel foto's. De Fortuna was een heel groot schip, dertig meter

lang en zeven meter breed. Het had ontelbare zeilen.

'Gaan we eens een zeiltocht maken?' vroeg ik. Snel stopte ik een foto in mijn broekzak.

'De Fortuna ligt in de haven van Marseille. Daar wordt hij opgeknapt. Er moeten een heleboel toeristen op kunnen. Ik wil reizen maken op de Middellandse Zee, maar er moet heel wat georganiseerd worden. Ik heb het schip pas.'

'Het is prachtig,' zei mijn moeder. 'Maar dan zul je wel veel weg zijn.'

'Ik probeer zoveel mogelijk vanuit Nederland te regelen. Af en toe vlieg ik naar Marseille.' James deed suiker in zijn koffie. 'Ik ben op zoek naar een partner die die reizen organiseert. Nee, geen huwelijkspartner, al mag dat natuurlijk wel.'

'Mam, dat is wat voor jou!' zei ik.

'Praat geen onzin, Rosa. Ik heb al een baan.'

'Maar hoe lang doe je dat nou al niet, mam? Je verstoft helemaal. Je zou eens iets nieuws moeten gaan doen. Mogen wij dan ook meevaren, James?'

'Natuurlijk,' zei James.

'Nou! Dat is pas avontuur!'

'Ga maar naar die film kijken,' zei mijn moeder.

Ik ging voor de tv zitten en drukte op play. Het ruziemakende stel probeerde alles weer goed te maken, maar dat ging eerst helemaal fout.

Mama en James praatten op de achtergrond. Het ging over de Fortuna.

Het stel in de film kuste elkaar in de ondergaande zon en dat was het einde.

Ik zette de dvd-speler uit.

'Wat gaan we nu doen?'

'Rosa!' zei mama.

'Heb je zin in een spelletje? Cluedo, dammen, schaken, kaarten? Zeg het maar,' zei James. 'Ik heb ook een Twisterspel uit mijn jeugd.'

Om mijn moeder te pesten koos ik Twister. We wrongen ons in rare bochten, vielen en stonden lachend weer op. Ik dronk een groot glas water, zo'n dorst had ik. Mijn moeders haar stond rechtovereind en James miste een sok. Maar we speelden nog een spelletje, en toen vielen we uitgeput op de bank neer.

'Hèhè,' zuchtte mijn moeder.

'Wat ben je lenig, Els,' zei James.

'Ik doe aan fitness,' zei mijn moeder.

'Met zo'n spel heb je dat niet nodig,' zei ik. Ik had hun botten wel horen kraken. Oude mensen waren het. Ik was jong en lenig, mij kon je in tienen vouwen.

'Gaan we weer naar zee?' vroeg ik. 'Ik bedoel niet de Middellandse.'

'Het is al laat,' zei mama.

'Maar het is nog licht!' riep ik.

'Vind je het leuk om nog een eindje te rijden?' vroeg James. 'Zullen we even naar de Amstel gaan om een terrasje te pakken? Dan zien we ook water, al is het de Middellandse Zee niet.'

'Vooruit dan maar,' zei mama.

18. James (3)

Er gingen een paar weken voorbij. Het was mooi weer en bijna zomervakantie.

Mama, James en ik zaten vaak op terrasjes en praatten over de vakantie.

'Gaan jullie mee naar Marseille?' had James gevraagd.

'Nu?' vroeg ik. 'Ja graag!'

'In de zomervakantie.'

'Het lijkt mij ook leuk,' had mama gezegd. 'Ik kom misschien wel even kijken.'

Ze had drie weken vrij, en misschien bleven we ook wel zo lang in Frankrijk.

'Ik had haar wel zien zoenen met James, toen ze dachten dat ik het niet zag,' zei ik tegen Piet. We zaten in de zon aan het kanaal en staarden naar de dansende dobber.

'Dus het is aan?' zei Piet.

'Vast. Ik vind James aardig. Je verveelt je geen moment bij hem. Hij verzint altijd leuke dingen. En hij past goed bij mama. Hij is een beetje avontuurlijk en dat kan ze wel gebruiken.'

'Moet je er geen stukje over schrijven, kleine persmuskiet?'

'Dat zou ik best willen, maar ik heb mama beloofd het niet te doen.'

'Als je over de duivel praat,' zei Piet.

Mama en James liepen ons huis uit en wandelden naar ons toe. Hand in hand! Ze glimlachten allebei.

'Mogen we erbij komen zitten?' vroeg mama.

'Tuurlijk, meid, jij altijd. En u bent?'

'James Grover.' James schudde Piets hand.

'Piet. Kom zitten, jongen. Ik heb van die kleine gehoord dat je een schip hebt.'

'Ik praat over niet veel anders meer,' zei James. 'Dat ze het nog met me uithouden!'

'Het is nog al een groot schip, hè?' Piet wou alles weten. James liet hem foto's zien van de Fortuna op zijn dure mobiel. 'Vorige week genomen.'

'Wat een prachtschip! Gefeliciteerd.'

James zuchtte. 'Ja. Het werk schiet al aardig op, maar de eerste reis zal toch pas in het voorjaar zijn.'

'Waarom zo lang?' vroeg Piet.

'Er moet veel gebeuren aan zo'n oud schip. De hutten moeten comfortabel zijn, anders zijn de mensen niet tevreden. Er moet een filmzaal komen en een zwembad... ja, het wordt allemaal wat duurder dan ik had gepland.'

'Hoe kom je aan zo veel geld?' vroeg Piet.

'Voor het grootste deel van mezelf, en voor een deel van de aandeelhouders. Die hebben me geld gegeven om de boot te kopen en op te knappen. Dat krijgen ze met een flinke rente terug als de Fortuna gaat varen. Natuurlijk mogen zij ook gratis mee.'

'Aandeelhouder, hè? Klinkt niet gek.'

'Ik heb een folder bij me.' James gaf Piet het papier. De Fortuna schitterde op de voorkant.
'Je kunt er nog instappen.'

'Marie ziet me aankomen,' zei Piet. Toch stopte hij de folder in de zak van zijn jasje.

'Mag ik er ook één?' vroeg ik.

'Wil je ook aandeelhouder worden?' vroeg James lachend.

'Als je ook aandeelhouders van een tientje hebt!'

'Het wordt vast een succes,' zei mama. Haar stem klonk hoog en ze had rode konen. 'Als ik de manager word kan er toch niets mis gaan?'

'Els! Lieverd van me!' (James)

'Jij durft, buuf!' (Piet)

'Zeg je je baan dan op?' vroeg ik.

'Niet meteen. Ik ga eerst kijken of ik de Fortuna kan combineren met mijn werk,' zei mama. 'Ik heb er goed over nagedacht. Moet ik mijn hele leven in dat museum zitten tot ik zelf een bestofte oude kruik ben? Is het niet tijd om ook eens iets anders te doen in mijn leven? Ik dacht het wel.'

'Goed idee, mam! Die potten en pannen kunnen wel eens zonder jou.'

Mijn moeder sloeg haar armen om me heen. 'Zover is het nog niet. Maar je vindt het geen gek idee?'

'Nee, leuk juist!'

'En ik kan thuis werken, dus je zult me vaker zien dan je lief is.'

'Elsje! Dappere Els!' James sloeg zijn armen om mama en mij heen. Het ontbrak er nog maar aan dat Piet ook zijn armen om ons heen sloeg. Ik zag het al voor me:

MENSELIJKE KLUWEN IN WATER GEVALLEN EN VERSLONDEN DOOR WRAAKZUCHTIGE VISSEN

Een beetje een lange kop voor een krantenartikel, maar wel pakkend.

'Daar moet op gedronken worden!' Piet pakte een blikje bier, opende het zodat het schuimde, en één voor één namen we allemaal een teug.

'Op de Fortuna!' riepen we.

Die nacht kon ik niet slapen. Ik snapte niet waarom. Mijn zwemdiploma's had ik gehaald. Bang om zeeziek te worden was ik ook niet.

Ik had James horen weggaan. De klok sloeg halftwaalf.

Het was benauwd in bed, en ik gooide het dekbed van me af. Ik zuchtte diep.

'Rosa? Slaap je nog niet?' Mama keek om de hoek van de deur.

'Nee.'

'Het zal de opwinding wel zijn. Ik heb ook het gevoel alsof ik helemaal in brand sta.'

'Dat komt van alle wijn die jullie hebben gedronken.'

Mama liep naar mijn bed en ging op de rand van mijn bed zitten.

'Maak je je zorgen om mij?'

'Een beetje wel,' zei ik. 'Ben je verliefd op James?'

Mama lachte. 'Ik geloof het wel. Wie had dat kunnen denken, hè? Een nieuwe man en een baan erbij. Het is allemaal wel veel ineens.'

Ze streek een lok haar van mijn voorhoofd.

'Je hoeft je echt geen zorgen te maken. Probeer maar te dromen van je vakantie. En van De Fortuna, die we gaan bekijken. Probeer je maar voor te stellen dat je in je kajuit ligt, en je bed gaat zachtjes heen en weer. Doe je ogen maar dicht. Voel je hoe heerlijk je dobbert? Net alsof je in een wieg ligt. Je ruikt de zoute zeelucht en langzaam val je in slaap.'

Mama kuste me op mijn voorhoofd en legde het dekbed over me heen. 'Slaap lekker, lieve Rosa.'

'Welterusten mam!'

19. James (4)

'Sodeju hee,' zei Sanne jaloers. 'Mevrouw heeft een heel zeilschip tot haar beschikking. Mag ik ook een keertje mee?'

We zaten in haar kamer. Door de open ramen hoorde ik kinderen roepen op straat.

'Je kijkt niet echt blij, Rosa.'

'Ik heb ook geen oog dichtgedaan. Wat is er toch? Ik zou blij moeten zijn, maar ik ben het niet.'

'Is die James niet aardig soms?'

'Heel aardig. En toch...'

'Vertrouw je hem niet?'

Ik haalde mijn schouders op. 'James is knap, leuk en rijk. Hij is dol op mijn moeder. Mijn moeder is gelukkig. Ze wil zelfs voor hem werken. Toch denk ik: is het niet allemaal te mooi om waar te zijn?'

'Jij wilt toch journalist worden? Zoek het uit.'

'Maar hoe? Mama mag niks merken. En James helemaal niet!'

'Waar werkt hij?' vroeg Sanne.

'Bij de Yellow Lion Bank.'

Sanne ging achter haar computer zitten en zocht. 'Bellen, meid. Hier heb je het nummer van de bank.'

'Dag mevrouw. Ik ben op zoek naar James Grover. Hij werkt bij u en ik moet hem dringend spreken. Nee, ik weet niet op welke afdeling hij werkt. Ja, ik wacht even.'

Ik wachtte terwijl ik naar een saai muziekje luisterde.

'O. Weet u dat zeker? U hebt overal geïnformeerd en er werkt geen James Grover bij u? Dat is vreemd, hij zei toch... Dank u wel voor de moeite.'

'Wat?' zei Sanne. 'Hij werkt daar niet?'
'Nee.' Mijn hart bonsde. 'Wat nu?'
'Weet je zeker dat het die bank was?'
'Ja.'
'Vraag zijn huisbaas of hij de huur wel betaalt.'
'Er staat een flat te huur, zag ik, toen ik er laatst was. De makelaar had een rare naam: Grasgroen.'
'Grasgroen, makelaar.' Sanne zocht het nummer op haar computer en gaf het me.
'Wilma Grasgroen.'
'Met Rosa. Ik ben op zoek naar James Grover uit de Charles de Gaullelaan.'
'James Grover... eens even denken. Wat wil je weten?'
'Hij zou wel eens mijn stiefvader kunnen worden, dus ik ben op zoek naar wat informatie over hem.'
'Ik mag geen informatie geven over cliënten.'
'Mevrouw Grasgroen, alstublieft! Mijn toekomst hangt ervan af!'
'Nou vooruit, ik zal eens kijken. James Grover is een maand achter met de huur van het gemeubileerde appartement. Dat is niet iets om je echt zorgen over te maken, maar ik houd hem wel in de gaten.'
'Dank u wel, mevrouw.'
'Zet 'm op, meisje!' Wilma Grasgroen hing op.
'Hij heeft de huur nog niet betaald. Dat kan gebeuren. Maar alle spullen in die flat zijn niet van hem. Hij heeft ze gehuurd.'
'Vreemd. Het lijkt wel of hij daar tijdelijk woont.'
'Hij wil toch niet bij ons intrekken?'
'Misschien is hij vergeten te betalen. Dat kan toch?' zei Sanne.
Ik dacht na. 'We moeten achter dat schip aan.'

'Wou je naar Marseille vliegen?'

'Ik heb een ander idee. Is Jesse thuis?'

'Ik zal even kijken.'

Sanne liep de kamer uit. Ik zat ineengedoken op haar bed.

Ik hoorde Jesses stem, maar ik kreeg dit keer geen kippenvel van verliefdheid.

Jesse keek om de hoek van de deur. 'Hé Rosa, onverschrokken journalist! Wat kan ik voor je doen?'

Ik legde het hem uit.

'Even op de computer kijken. Mag ik die van jou gebruiken, Sanne?'

'Oké.'

Jesse typte op het toetsenbord. Ik stond op en keek samen met Sanne toe. De sites kon ik niet lezen, ze waren in het Frans.

'Hoe komt hij aan het geld voor zo'n schip als hij niet werkt?' zei ik.

'Wacht, hier heb ik een nummer,' zei Jesse. 'We gaan beneden bellen. Dat wordt te duur voor mijn mobiel.'

Beneden was Sanne's moeder bezig aan een quilt. Ze naaide de kleine, gekleurde lapjes met de hand aan elkaar.

'We moeten even bellen, mam,' zei Jesse.

'Er is toch niks aan de hand?' vroeg Sanne's moeder. 'Jullie hebben van die rode hoofden.'

'Daar gaan we nu achter komen.' Jesse had een papiertje in zijn hand. Hij pakte de telefoon en toetste een nummer in.

Sanne en ik gingen op de bank zitten.

'Willen jullie thee?' vroeg Sanne's moeder.

'Lekker, mam.'

Ik zei niks, en luisterde naar Jesse, die Frans sprak. Ik ving het woord 'Fortuna' op.

'Dat schip bestaat, en het ligt in Marseille,' zei Jesse. 'Maar nu moeten we nog uit zien te vinden of James de eigenaar is.'

'Welk schip?' vroeg Sanne's moeder. Ze zette glazen thee en een schaal koekjes op tafel.

'Dat vertellen we straks wel,' zei Sanne.

'Ik krijg nou de havenmeester,' zei Jesse. 'Hallo?' En hij praatte weer verder in vloeiend Frans. Ik begreep alleen de naam James Grover.

'Merci bien, monsieur.' Jesse hing op. 'Nou Rosa, zet je schrap. Ze hebben nog nooit van James Grover gehoord en de eigenaar is een Fransman.'

Ik wist niet wat ik moest zeggen. Jesse kwam naast me zitten en klopte op mijn schouder. 'Kijk niet zo woedend, Rosa. Je moeder is nog niet met hem getrouwd.'

'Maar ze wil voor James werken en Piet wil misschien aandeelhouder worden!'

'Kan iemand me alsjeblieft vertellen wat er aan de hand is?' vroeg Sanne's moeder.

Sanne en Jesse begonnen allebei te praten.

'Ho!' zei Sanne's moeder. 'Ik wil het van Rosa horen.'

Ik vertelde Sanne's moeder alles wat ik wist over James.

'Het is een oplichter!' zei Sanne. 'We moeten naar de politie!'

'Misschien hebben we het fout,' zei ik. 'Ik kan gewoon niet geloven dat James zoiets zou doen. Hij is zo... perfect.'

'Zal ik eens met je moeder gaan praten?'vroeg Sanne's moeder.

'Ja, graag! Ze gelooft mij vast niet,' zei ik.

'Is ze thuis?' vroeg Sanne's moeder.

Ik knikte.

Ik wil mee!' zei Sanne.

'En ik!' zei Jesse.

'Ik ga alleen,' zei Sanne's moeder. 'Rosa, drink je thee op. Je ziet doodsbleek.'

Ik stond op. 'Ik wil bij mijn moeder zijn.'

Sanne's moeder sloeg haar arm om me heen en samen liepen we naar buiten. Zwijgend fietsten we naar huis. De fietstocht leek lang te duren. Mijn benen waren te bibberig om hard te kunnen trappen.

'Ik vertel het je moeder wel,' zei Sanne's moeder.

'Als James er maar niet is,' zei ik. 'Hij vermoordt ons nog.' Ik zag de krantenkop al voor me. Zó wilde ik niet in de krant.

Mama was alleen. Ze keek bezorgd toen ze ons zag. 'Ben je ziek?' vroeg ze.

'Nee mam. Sanne's moeder moet je wat vertellen.'

'Wat is er? Ga zitten, Lies. Wil je iets drinken?'

'Dat komt straks wel,' zei Sanne's moeder. 'We zullen het nog hard nodig hebben.'

'Wat is er aan de hand?'

Sanne's moeder vertelde alles wat we hadden ontdekt over James. Ik was blij dat zij zo flink het woord deed. Ik zou zelf hebben gestameld. Mijn moeders gezicht werd steeds bleker.

'Het is toch niet waar,' zei ze zacht. 'Dat kan toch niet.'

'Zal ik de politie bellen om te vragen of ze iets over hem weten?' vroeg Sanne's moeder.

'Ik wil James eerst zelf bellen.'

Mama pakte haar mobiel en liep de tuin in. Sanne's moeder en ik zaten zwijgend te wachten tot ze weer terugkwam.

'Hij zegt dat het allemaal onzin is,' zei ze. 'Dat ze zijn naam niet kunnen vinden bij de bank vindt hij schandalig. En hij wil vanavond nog naar Marseille vliegen om me de Fortuna te laten zien.'

'Geloof je hem?' vroeg Sanne's moeder.

'Ik weet het niet,' zei mijn moeder.

Sanne's moeder ging naast mama zitten en sloeg haar arm om mijn moeders schouders.

'Zal ik toch de politie bellen?' vroeg ze zacht.

'Dat moet dan maar. De telefoon staat in die hoek. Ik weet niet wat het nummer van de politie is. Het zal wel in het telefoonboek staan.'

Sanne's moeder keek in het telefoonboek en pakte de telefoon. Ze toetste een nummer in en begon zacht te praten.

'Wil je wat drinken, mam?' vroeg ik.

'Doe maar.'

Ik schonk wodka in een groot glas alsof het water was.

Het glas duwde ik in mijn moeders hand. Ze nam een slokje en rilde. 'Dit kan toch niet waar zijn?' zei ze.

Ik sloeg mijn armen om haar heen. We zaten daar alsof wij de schurken waren.

Sanne's moeder liep naar ons toe. 'Ik heb met de inspecteur gesproken. Hij wil graag dat je naar het politiebureau komt.'

'Hoezo?' vroeg mama nog.

'Ze kennen James. Er lopen zaken tegen hem voor oplichting. Ze willen je graag spreken.'

'Dus James is een oplichter,' zei mama.

'Heb jij hem geld gegeven?' vroeg Sanne's moeder.

'Nee,' zei mama. 'Maar Piet misschien wel. We moeten hem waarschuwen.'

'Wil je dat ik meega naar de politie?' vroeg Sanne's moeder.

Mama knikte. 'Piet ook,' zei ze. Ze belde Piet en legde hem kort uit wat er aan de hand was. Toen stond ze op en trok kordaat haar rok recht. 'En nu gaan we. Rosa, jij blijft hier tot ik weer terug ben.'

'Ik wil mee naar het politiebureau! Ik heb het allemaal ontdekt!'

'Dat is knap van je,' zei mama. Ze zag er bedroefd uit. Ik wilde bij haar blijven om haar te troosten.

'Trek het je niet aan, mama! Het is een rotvent!'

Er werd gebeld. Het waren Piet en Marie.

'We helpen je, Els,' zei Piet. 'Die kerel zul je nooit meer zien. Gelukkig hebben we hem geen geld gegeven.'

Ik stond achter het raam en keek hoe mama, Sanne's moeder en Piet in Piets auto stapten. Ik was dan wel opeens een misdaadverslaggever, maar wat voelde ik me ongelukkig.

Marie was meegekomen naar ons huis. Ze sloeg haar arm om me heen. Opeens begon ik te huilen.

Marie streelde over mijn haren. 'Rustig maar,' zei ze. 'Je bent een slimme meid. James kan jullie niets meer doen.'

'Maar waarom voel ik me dan zo naar?' snikte ik.

'Het is de teleurstelling. Het leek zo'n mooi sprookje, en nu is het een akelig griezelverhaal geworden.'

'Ik weet niet of ik nog journalist wil worden,' zei ik.

'En wie had je moeder dan moeten redden?'

'Peter R. de Vries. Maar niet ik.'

Marie lachte. 'Ik heb een appeltaart gebakken. Hij is warm en vers. Wedden dat je een stukje lust?'

'Ik zal het proberen,' zei ik zwak. Marie rook naar kaneel. Ik voelde me opeens een beetje beter. Een heel klein stukje lustte ik wel.

20. Geen man meer

Het was zomervakantie. Op een mooie zomeravond zaten we buiten aan tafel: Piet en Marie, Sanne, Jesse, Marije en hun ouders. Mama en ik hadden de hele dag in de keuken gestaan.

De tafel was beladen met allerlei broodjes, Franse kazen, palingmousse, zalm, huzarensalade, haringen, aardappelsalade, worstjes, olijven, kroketjes en Russische bietensoep met zure room.

Mijn moeder schonk de glazen vol rode wijn. Ze ging staan met haar glas in de hand.

'Ik wil jullie allemaal heel hartelijk bedanken voor alle hulp die jullie Rosa en mij hebben gegeven. Het was een moeilijke tijd voor ons, maar dankzij jullie zijn we er goed uitgekomen.'

'James gelukkig niet,' zei Piet.

James zat in de gevangenis na te denken over zijn zonden. Of hij smeedde een nieuw slecht plan... Hij was een oplichter met een lange staat van dienst. Er waren veel boze mensen die tegen hem getuigden in de rechtbank. Ze hadden hem geld gegeven om aandeelhouder van de Fortuna te worden. Voorlopig kwam hij niet vrij.

Hij stond wel in mijn dossier, maar een stukje over hem schrijven in *De Bazuin* wilde ik niet. Iedereen zou mama en mij nawijzen.

'Gelukkig was ik niet zo goedgelovig als Piet,' zei Marie. 'Ik wilde eerst meer weten over dat schip. Die Fortuna is niet zo fortuinlijk als we dachten.'

'Maar James kon praten als Brugman,' zei Piet. 'Als jij hem had gehoord, ik zweer je Marie, dan...'

'Laat Els nou eens uitpraten,' zei Marie.

'Sanne en Jesse grepen snel in, als echte detectives. Lies, Piet en Marie, jullie steunden ons meteen. Heel erg bedankt. Op jullie allemaal!'

'Proost!' zeiden de grote mensen. Ze proostten en namen een slok van hun wijn.

Ik maakte een foto.

Jesse had ook een glas wijn, maar Sanne en ik hadden rode priklimonade.

'Nog heel even,' zei mama, 'en dan gaan we eten. Maar ik wil ook mijn eigen dochter bedanken, die James niet vertrouwde. Dankzij haar kwam alles uit. Proost lieve schat!'

Ik hief mijn glas prik. 'Ik deed het niet graag, maar het moest. Proost mam!'

'Omdat je me zo goed geholpen hebt, heb ik een verrassing voor je.'

Mama gaf me een envelop. Ik scheurde hem open. Er zat een ticket naar Australië in.

'Mam! Dat is te gek!'

'Je gaat een maand bij je vader logeren,' zei mama. 'Denk je dat je dat aan kan?'

'Natuurlijk!' Ik gaf mama een heleboel kussen. 'Dank je wel!'

'Goeie reis, Rosa!' Sanne's moeder hief ook haar glas.

'Een fijne vakantie! Zet 'm op in Australië!' zeiden de anderen. En toen viel iedereen hongerig aan op de soep en de broodjes.

'Wat ga jij doen in de vakantie, Els?' vroeg Sanne's vader.

'Ik ga met een collega naar Griekenland. Daar gaan we allemaal saaie musea bekijken met heel oude spullen.'

'Straks kom je nog met een Griek thuis,' zei Piet.

'O nee,' zei mijn moeder. 'Ik heb mijn buik vol van mannen. De eerste tien jaar word ik niet meer verliefd, zelfs al kom ik de knapste Griek van heel Griekenland tegen!'

'Ik wil best een Griekse stiefvader,' zei ik. 'Hij kan me de sirtaki leren.'

'Vergeet het maar. Wie wil er nog een beetje soep?'

Dat wilde iedereen wel.

Na de maaltijd ging ik naar de keuken om koffie te zetten. Ik vulde het apparaat met water en koffie, toen Jesse binnenkwam met een dienblad vol borden.

'Waar moet ik het neerzetten?'

'Op tafel. Alles moet in de afwasmachine. Die staat daar. Wacht, ik help je wel. De koffie moet toch nog doorlopen.'

Samen zetten we de vieze bordjes en glazen in de machine.

Nu moest ik het zeggen. Nu! Maar ik durfde niet. Vooruit, schiet op, meid! Ben jij nou de journalist die alles aan kan?

'Jesse? Die rare brief die je een tijdje geleden kreeg, die was van mij.' Ik haalde diep adem: 'Ik ben namelijk verliefd op je.'

Jammer dat de afwasmachine al vol was, anders was ik er nu ingekropen.

'O,' zei Jesse. 'Die brief vond ik best leuk. Ik vind je heel aardig, Rosa, maar ik ben niet verliefd op jou.'

'Dat weet ik wel,' zei ik zacht. En ik wist het ook, ik had het al die tijd geweten, maar toch had ik het gevoel dat scherpe nagels in mijn darmen graaiden.

'Ik vind je heel bijzonder Rosa, echt waar.' Jesse bukte zich en kuste mij op mijn rechterwang, twee, drie keer. Toen liep hij naar buiten.

Mijn buik voelde weer normaal aan, maar mijn hoofd was licht. Automatisch zette ik de borden in de afwasmachine. Hij was niet verliefd op me, maar toch, Jesse had me gekust!

21. Verrassing

Ruim een maand later zat ik in het vliegtuig van Australië naar Nederland. De stewardessen vertroetelden me met lekkere hapjes en drankjes. Ik mocht ook in de cockpit kijken. Ik twijfel nu of ik in plaats van journalist piloot zal worden.

Mijn vader had zijn vliegbrevet gehaald. Hij had een klein vliegtuigje gekocht en bracht de post rond. Ik had ook vaak met hem gevlogen. De weken bij hem waren veel te snel voorbijgegaan. Hij heeft beloofd met Kerstmis over te komen, nu hij geld verdient met zijn nieuwe baan.

'En, heeft je moeder al een nieuwe vriend?' vroeg hij.

'Ze heeft haar buik vol van mannen,' zei ik. 'En jij, heb jij een vriendin?'

'Nee. Te druk. En jij, heb jij een vriendje?'

Ik vertelde papa alles. 'Ach lieverd,' zei hij. 'Die jongen weet niet wat hij mist. Ik ga je gebroken hart repareren. Zal ik je leren vliegen?'

Toen ik achter de vliegtuigknuppel zat, met papa naast me, en ik het vliegtuig bestuurde, vergat ik Jesse. Maar niet dat hij me had gezoend. Dat zou ik altijd onthouden.

Ik heb veel meegemaakt in Australië. Maar dat ga ik allemaal opschrijven in een nieuw dossier. En voor de kinderpagina van *De Bazuin* heb ik ook heel wat kopij.

Met een schok kwam het toestel op de landingsbaan terecht. Dat zou ik beter doen!

Ik bedankte de stewardessen en liep het vliegtuig uit. Het was vier uur in de nacht. Schiphol was verlaten. Cool! Terwijl ik op mijn bagage wachtte keek ik door de ramen.

Mijn moeder stond er, en ze lachte en wuifde. Ik wuifde terug.

Met mijn koffer op wieltjes achter me liep ik stoer door de deur naar mijn moeder.

Ze sloeg haar armen om me heen en kuste me op mijn wangen en mijn haren.

'Welkom thuis, lieve schat! Hoe was de reis?'

'Een fluitje van een cent,' zei ik.

'Je ziet er goed uit,' zei ze. 'Bruin en groot en gezond.'

Ze drukte me zo stevig tegen zich aan dat ik piepte: 'Zo is het wel goed, mam.'

Ik keek om me heen. 'Is Piet er niet?'

Hij had me met de auto weggebracht naar Schiphol.

'Nee.'

'Gaan we met de trein of met een taxi?'

'Dat zul je zo wel zien. Eerst wil ik je iets vertellen.'

'Er is toch niks ergs gebeurd?'

'Nee, juist iets leuks. Ik heb een vriend.'

'Mama! Een nieuwe van het bureau? Ik moet hem eerst keuren, hoor!'

'Ik kwam hem tegen in het park. We raakten aan de praat. En we zijn we niet meer gestopt met praten.'

'Een onbekende man, uit het park? Ik mag nooit met mannen in het park praten!'

'Nee, dat klopt, maar ik kende hem al. Jij ook.'

'Wubbe? Toch niet Dalstra? Of Renzo?'

'Jij hebt ervoor gezorgd dat we elkaar ontmoetten.'

'Wie mam, wie?'

'Kijk maar eens bij die pilaar.'

Ik zag een klein vierkant meisje en een lange man. Ze zwaaiden naar me: Roxanne en meester John.

'Wat vind je ervan?' vroeg mama.

'Mam, nee!'

'John heeft plechtig gezworen zijn leven te beteren,' zei mama. 'Geen vriendinnen meer. Hij wil vastigheid, en hij is gek op me. En ik op hem.'

'Echt mam?'

Mama knikte en straalde. 'Ik weet dat ik hem kan vertrouwen.'

En ik was er weer om op te letten...

Ik kuste mijn moeder. 'Veel geluk, mam!' Toen holde ik naar meester John en Roxanne.

'Hé, hallo.' Ik wist niet meer wat ik moest zeggen.

Ik keek naar de twee gezichten van de mensen die ik nu heel goed zou leren kennen.

Ze lachten allebei breed.

'Hoe gaat het met je?' vroeg meester John. Hij gaf me eerst een hand, trok me toen naar zich toe en zoende me op mijn wang.

'Kan niet beter.'

'Al een beetje over de schok heen?'

'Nou... ik moet wel even wennen.' Ik stond te trillen op mijn benen. Maar dat kon ook de vermoeidheid zijn die toesloeg.

'Een slokje water?' Meester John haalde een flesje bronwater uit zijn tas. Ik nam een paar slokken.

'Gaat het nu wat beter? Je hebt ook een lange reis achter de rug. En dan komen wij je ineens rauw op je dak vallen. Dat valt allemaal niet mee.'

'Het gaat alweer.'

'Hoe was de vakantie?' vroeg Roxanne.

'Daar zal ik jullie alles over vertellen! Hé, Roxanne!'

Ik gaf Roxanne een zoen op haar wang. Ze pakte me bij mijn schouders en schudde me hartelijk maar nogal hardhandig door elkaar.

'Wie had dat kunnen denken, stiefzus! Heb je cadeautjes meegenomen?' vroeg Roxanne.

'Ja, maar geen chocola!' Gelukkig had ik veel pluchen kangoeroes ingeslagen om uit te delen.

'Toch tof!' zei ze. 'Zal ik je helpen met je koffer naar onze auto te slepen?'

'Nee, ik doe het wel,' zei meester John. Het zou nog moeilijk zijn om dat 'meester' weg te laten.

John en Roxanne trokken de koffer op wieltjes vooruit.

'Kijk ze zich eens uitsloven,' zei mama. 'Dat wordt nog wat met die twee. Denk je dat je aan hen kunt wennen?'

Ze streek me over m'n haar en keek me aan. Ik zag haar lieve, grijze ogen.

'Ik denk het wel. Ik heb je gemist!'

'Ik jou ook. Ik ben blij dat je weer thuis bent.'

'Ze wonen toch nog niet bij ons, hè?' vroeg ik.

Mama lachte. 'We zijn gewoon met z'n tweeën. En zo blijft het voorlopig. Ik doe het rustig aan.'

Ze sloeg een arm om me heen.

'Voorzichtig mam. Druk me niet plat! Ik wil een foto maken!'

Samen liepen we achter Roxanne en John de nacht in. Het begon al licht te worden.